新潮文庫

つぎはぎプラネット

星新一著

新潮社版

9802

目次

SF川柳・都々逸101句……11
知恵の実……32
環……37
ミラー・ボール……40
栓……77
狐の嫁入り……79
タイム・マシン……80
太ったネズミ……82
見なれぬ家……87

文明の証拠……94
食後のまほう……103
黒幕……112
犯人はだれ?……127
未来都市……140
ねずみとりにかかったねこ……161
白い怪物……165
悪人たちの手ぬかり……170
夜のへやのなぞ……179
地球の文化……188
宇宙をかける100年後の夢……195
オイル博士地底を行く……202
あばれロボットのなぞ……208
被害……214

宝の地図……219
インタビュー……226
お正月……228
白い粉……232
夢みたい……238
正確な答……242
ゼリー時代……249
万一の場合……252
妙な生物……255
空想御先祖さま　それはＳＴ・ＡＲ博士……257
オリンピック二〇六四……259
景気のいい香り……264
ある未来の生活……267
二〇〇〇年の優雅なお正月……270

ビデオコーダーがいっぱい　ちょっと未来の話……276
味の極致……302
ラフラの食べ方……311
魔法のランプ……320
上品な応対……322
ある未来の生活 すばらしき三十年後……329
屋上での出来事……337
おとぎの電子生活……344
夢への歌……352
最後の大工事……355
ケラ星人……362
ほほえみ……363
ある星で……365
円盤……368

不安……369
太陽開発計画……371
魅力的な噴霧器……372
命名……398
習慣……399
L博士の装置……402
ふしぎなおくりもの……407
お化けの出る池……416

解説　高井信

つぎはぎプラネット

SF川柳・都々逸　101句

星新一（笑兎）

ロボットとサイボーグ

ロボットに　命令されて　嬉しがり
「そんな感じだね。いまの世の中」（「　」は句会中の著者コメント。以下同）

金無垢の　ロボット作り　逃げられた
「『うぬぼれロボット』はあるな（笑）」

わが家には　何とロボット　三千人
「成金趣味なんだ」

サイボーグ　そのまた草鞋を　作る人
「サイボーグもまた人によって作られるわけだな」
サイボーグ　臍がなくても　人間だ
政治家の　ロボットにぎにぎ　よく覚え
アンドロイドを　叩いてみたら　しかたがねえなと　声がした
アンドロイドが　裂痔になって　ついにあいつも　サイボーグ
「部品を取り替える以外にない（笑）」
やっぱりこいつは　人間だった　毒飲ませたら　死んじゃった

火星人

バイキング　くる寸前に　絶滅し
「ほんとはいたんですよ、火星人は（笑）」
＊バイキングはＮＡＳＡの火星探査計画の名前（編集部註。以下＊同）

観光用　いま募集中　火星人
「観光用に少し置いとかんといかんね」

火星では　狼男（おおかみ）　どうなるか
「月の狼男なんていうのはどうだ（笑）」

火星人　足をもいでも　生えてくる

日本人　火星へ行けば　火星人

「日本人にはそういう意識がないでしょう」

ビッグバン

ビッグバン　スロービデオで　もう一度
ビッグバン　どうなりますか　青田さん
＊青田さんは、当時の野球解説者の名前

核戦争で　この世の終わり　あの世はちぎれ　ビッグバン
「ビッグバンって、案外そんなものじゃないか」

タイム・マシン

二日酔い　タイム・マシンで　すぐ治り

昼寝して　三十分の　未来へ行き

「SFじゃなくたって未来へ行けるという……（笑）。原始的な形だな。タイムスリップの」

タイム・マシン　未来も遠く　なりにけり

タイム・マシン　乗り越しの人　いませんか

宇宙へ

宇宙船　中でテレ寝を　し続ける

「テレビ見て寝てるんだよ」

やれ打つな　エイリアンが手をする　足をする

ある星で　宇宙人かと　住民に聞かれ　いささかどうも　照れくさい

「われわれがどこかの星に行ったとき、そういわれたら、そんな気分にならんかね」

＊57775調の都々逸もある

ロシアがやって　**ケ**ネディあわて　**つ**いに月まで　**と**どかした

「ロケット（の折り込み）だな。だけど、これはまさに愚作だ。理に走っている」

二〇〇一年　宇宙の旅は　角栄さんの　お蔭（かげ）です

＊角栄さんは、田中角栄元首相のこと

宇宙から

泥棒を　捕（とら）えてみれば　宇宙人

「何盗んだか知らんけどさ（笑）」

ＵＦＯに　インベーダーを　売りつける

「一所懸命宇宙人が『インベーダー』やってたらおもしろいだろうな」

＊インベーダーは、当時大流行した宇宙人を撃墜するゲーム

エイリアン　流した先が　地球なり

「島流しという言葉を知らんことには、『流した先が……』というのがわかるかなあ」

旅に病んで　ＵＦＯ背中を　かけまわり

＊松尾芭蕉の俳句のパロディ

Ｅ・Ｔが　お控えなすって　あとはなし

「どこから来たかは言わないわけだ」

Ｅ・Ｔも　逃げてサラ金　踏み倒し

Ｅ・Ｔも　顎（あご）から下は　ずっと首
来たかネッシー　待ってたパンダ　あとはＥ・Ｔ動物園
ＵＦＯ来るかと　コンピュに聞けば　どうでしょうねと　薄笑い
「恐（こわ）いでしょう」

地球では
恐竜が　一緒に沈んだ　ムー大陸
まだ大丈夫　猿がヌーディスト・クラブ　作らない
まだ大丈夫　猿がパーマを　かけ始め

ヒットラー　性転換して　うまく逃げ

録音機　テープにしみ入る　ムササビの声

核兵器　使わなければ　粗大ゴミ

クローンには　必ず入れよ　刺青(いれずみ)を
「製造ナンバーだね」

やあ君も　クローン現象　XXさん
「このXXには、適当に入れればいいんだ」

長い氷河期　冬眠すんで　さあこれからが　夏休み
「人類の先祖は、何もしてなかったんだ(笑)」

大小さまざま　たくさんあれど　地上で眺めりゃ　ただの星

「赤色巨星だろうが惑星だろうが、目に入ってくるやつはみんな同じですな」

試験管ベビー　いまじゃ古い　お湯をかければ　三分間

「きっとそうなるよ。インスタント受精卵というやつ。三分間あっためるとオギャーと生まれる」

天地創造

なにはさて　まず禁断の　樹（き）を植えて

「今の人は、アダムとイブを知らないんだからな」

方舟（はこぶね）に　ノミにシラミに　コレラ菌

宇宙人　うまくマリアを　手ごめにし

「キリスト宇宙人説。宇宙人の子供という説があってもいいのにな」

キリストも　あれも人の子　タル拾い

＊江戸時代の俳句のパロディ

神様も　ここらでちょっと　一休み

「何かすごいことが起こりそうだろ」

沖の暗いのに　白帆が見える　あれは方舟　ノアの舟

＊江戸時代のミカン船伝説のパロディ

「カッポレだね」

ノストラダムスで　儲(もう)けたやつは　一九九九に　ばち当たる

「ノストラダムスというのはユダヤ人なんだから、キリストなんか全然信じてないわけでしょう。それなのに一九九九という意味ありげな数字を出すところが、ちょっとマユツバものだよな」

恐怖の大王　空から来たら　よく見りゃ赤鬼　豆をまけ
一九九九で　麻雀（マージャン）やれば　これがほんとの　単騎（たんき）待ち
「これがドラだったら。まあ、麻雀を知らん人はわからんだろうが……」

テレパシー

テレパシー　みんなあったら　ただの人
サイボーグ　エスパー女に　裏切られ
冗談まじりに　ささやきかける　風情（ふぜい）なくする　テレパシー
「粋（いき）でしょう？」

ブラック・ホール

ブラック・ホール　まさかあなたが　お持ちとは

「そういうことになっちゃうんだよな、結局（笑）」

ブラック・ホール　白いペンキを　流しこみ

ブラック・ホール　高所恐怖で　ゾクゾクし

もし旦那(だんな)　ブラック・ホールが　ありますぜ

ホワイト・ホール　遠くにありて　思うもの

「ブラック・ホールが観測しにくいなら話は分かるけど、ホワイト・ホールが観測出来ないというのはおかしいよね。宇宙の中心あたりにあるのかな」

パラレルワールド

多元宇宙　きょうはどこまで　行ったやら
「スケールはでかいけど、あんまり出来がいいとは思えんな」

多次元を　股(また)にかけたる　後家(ごけ)殺し
吸血鬼、スーパーマン、アトム、幽霊、ターザン、キングコング、フランケンシュタイン、狼(おおかみ)男、悪魔

吸血鬼　わが血尿に　びっくりし

吸血鬼　ガマの油を　飲みたがり
「血が止まる（笑）」

川っぷち　スーパーマンも　墜落し

「久米（くめ）の仙人（笑）」

クリプトン　なぜあの星が　滅びたか

スーパーマンに　喧嘩（けんか）を売るのは　バカボンか

90番　鉄腕アトムを　入れたがり

＊90番は、巨人軍の長嶋茂雄監督（当時）の背番号

皇室が　秀頼（ひでより）の霊に　悩まされ

「徳川滅亡を知らず、江戸城に秀頼が化けて出る」

ターザンが　キングコングに　命令し

フランケンシュタイン　叩（たた）いてみたら　ガオーガオーと　吠（ほ）えやがる

フランケン　コングもみんな　女好き

「っていうことになるな」

フランケン　あたし女と　にじり寄り

「ちょっと気持ちわるいだろうな（笑）」

フランケン　県庁のあるとこ　どこですか

「フラン県っていう県があるんだ（笑）」

消費文化が　発達すれば　狼男の　ハンバーグ

悪魔のシッポを　つかんでみたら　サッと変わって　古ダヌキ

SF作家

降る雪や　シェクリイ遠く　なりにけり
「ブラウンにしてもシェクリイにしても、いまの人は知らんでしょう」

締切は　国をほろぼす　悪魔です
（＊1001編達成後に作家を引退して）「人に会うごとに顔色がよくなりましたね、なんて言われるんだ」

あの先生　こんなバカかと　読者言い

いままで　気がつかなかったのかと　われわれ言い

SF作家に　未来を聞けば　そんなことなど　もう古い

夏への扉を　叩いてみたら　いまは留守よと　声がした

「不気味でしょう」

「せめていくらか　分け前くれよ」　ヴェルヌ、ウエルズ　それにポー

「SFブームは誰のおかげだと思ってんだ、きみたちはって（笑）」

お酒

アル中の　象がピンクの　人間見（み）

＊アル中の人間は、ピンクの象を見るという話から？

酒飲めば　クライン人間　安らかに

（＊胃腸がクラインの壺（つぼ）状になっていて）「いくら飲んでもどっかにいっちゃう」

ナンセンス

赤い玉 三角の玉 四角玉

ワープロが ワープをすれば セミプロだ

さるすべり 猿も梯子(はしご)を ほしげなり

柿食(く)えば 隣りの客も 柿を食い

古池や 本人飛びこむ あたま山

＊落語の頭山から

色は匂(にほ)へど お味は素敵 ＡＢＣＤ アイウエオ

「ナンセンスもそこまでいっちゃうと、あとはもうないんですよ」

句会

夜明けの夢で　お告げがあった　作らされるぞ　都々逸を
さてはまず　シミュレーションだ　気にするな
コールドスリープ　メビウスの輪　タイムマシン　超新星
「こういう類(たぐ)いならいくつもできる」
また四次元　もうたくさんと　編集者
猪八戒(ちょはっかい)　句会がすんで　十階か
速記者が　ひとりで作った　座談会

こんなこと　きょう一日で　出尽くした

「もったいないな。これだけのアイデアを……。ひとつひとつ組み立てりゃ、小説になるかもしれん」

――徳間書店『SF川柳傑作選』（1987年刊）より抜粋

（初出は「SFアドベンチャー」1980年2月号、1984年2月号および6月号）

＊「核兵器　使わなければ　粗大ゴミ」は単行本未収録

知恵の実

ええと、人間の知識なんてえものは、いいかげんなものでして、知らんでもいい事は判らない、といったあんばいになっていますようで。大体死んじまってからどうなるか、なんてことは知らんでもいい事で、従って誰にも判らないといった工合で、生きてるうちに働いて遊んで思い残すことなく世を終るべし、といった仕掛が出来上っております。

ところで私どもの仲間には、働くのも遊ぶのもどこか抜けていて、少しばかりこの仕掛からはみ出した連中がたくさんあって、八つぁん熊さんは皆さま御存知の通りで、いまさらもち出してもはじまりませんが、そのほかに変り者の仙さんというのがあって、いつもくだらん理窟をこねて御隠居さんをてこずらせております。

ある日、この仙さんがぼんやり道をみながら考えこんでいるところで、

「おい仙さんどうしたい。またもや失恋かい」「いやちがう」「工合でも悪いか」「いや手だ」「手がどうかしたか」「ここから歩く人をみてると手先が地上二尺ばかりの高

さにたれてる」「なんだ当り前のはなしだ。つまらねえことを云うやつだ」「なんでその高さに落着いた」「弱ったな、おおかたパチンコでもやり易いためじゃねえかな」「それでケロリとしてるおまえは全くおめでたい奴だ」「この野郎。つまらんことを考え出すてめえの方がよっぽどおめでてえ。しかし考え込んでは体に毒だ。御隠居さんのとこへいって、よく教えてもらってさっぱりしろ」

まったくのところ、なんでもかでも尻を持ち込まれる御隠居さんこそいい迷惑。

「おや仙さん。今日は何だね」「これこれしかじか、奴とわっしとどっちがおめでてえか知りてえ」「まあ落着きな。仙さんの知りたいことは手先の高さだろう」「あっそうだ」

「それはだな。つまり大昔には人間には第二の地面ともいうべき二尺位の高さに食べ物が浮いていた。人間も最初は犬や猿のように手先が地面に近かったが、それを食べてるうちに今の高さに手が落着いた。それを食べつくしたので仕方なく始めたのが農業だ。人間は猿に近く、盲腸もあり本来草食動物だから農業を始めるのが当然だが、農業が本来食べ物の大きな支給源であれば、手はもっと地面に近く下ってなくてはならないし、自然な恰好でなくちゃならない。ところが、わしなども、草花いじりなどすると腰が痛くなって散歩よりくたびれる。だから農業は食べるために仕方なく始めたことがお判りだろう」

「するてえと、食べ物が浮んでたとでも言うんですかい」「ここでだ、だましちゃいけないと怒る人は理性より感情が強いから恋愛の方が性に合ってる。女の子にもてるたちだ。これから先は理性の強い人にだけ話す。仙さんは聞きたいか」「御隠居さんも人が悪い、聞かねえといえばバカになるし、聞きてえといえばもてねえことになりやがる。重盛(しげもり)の心境察するに余りあるな」「まあそうくやしがるな。教えてあげるよ。食べ物が今はやりの人工衛星のように浮いている筈(はず)はない。これは果物のことだ。アダムとイブの食った知恵の実だ。これが地上約二尺に実がなる」「リンゴじゃあないんですかい」「聖書という本にはリンゴとは書いてない。この伝説の伝ったのは熱帯でリンゴの観念はない」「それでどうなるんで」「この実がつまり禁断の実でほかの動物が決して食わなかった。それで全世界に繁茂した」「なんで食わねえんで」「人間にしか判らぬ味があった。味は動物によって感じ方が違う。羊は紙を食い、馬はワラを食う。仙さんは紙を食ってうまいと思うか」「ちげえねえ」

「ところがイブがこれを食った」「味をしめたんですね」「それからとう〳〵エデンの園を食いつぶして、まあここで働く気になればまだまだエデンの園に住んでられたが、遊んで食えるからこそエデンの園で。働くなどとんでもないと旅に出た」

「へ花の三度笠横ちょにかぶり、おぼろ月夜の旅がらす。いい気分だ」「仙さんは好奇心は強いが歌はからきしだな。一宿一飯どころか、茂るに任せてあったからどこへいっても鈴生りだ。それで次第に世界中に散らばったんだが、その間にだん〳〵歩きつつ食べるのに都合のよい形に進化した。食いつぶすには暇がかかる」「のんきなもんでしたね」「歩きながら各地を見て知恵がついた」「修学旅行の初めですね」「人間なんて弱いもので虎やワニにつかまったらイチコロだ。ネズミの様に繁殖力があるわけでなく、カメレオンみたいに色が変ることもない。それが生き残った」「知恵があるからでしょう」「その知恵も初めは赤ん坊と同じだ。玉みがかざれば光なし、昔の人はうまいことを言うじゃないか。この果物のおかげで安心して勉強できた」「食いつくしてからはどうなるんで」「食いつくしたところに住みついたが、これからが一苦労だ。足を洗って堅気になったようなもんで今まで遊んで食えたのが食えなくなった」「斜陽族にも似てますね」「文字通り手持ちぶさたで宙に浮いた手をブラ〳〵動かしてるうちに、犬も歩けば式にいろ〳〵な技術を作り上げた」「何を作ったんで」「まあ土器なんかだな。火も作った。弓、釣道具、ワナ、クワなどを作った。大体素手の人間につかまる鳥や魚や動物なんてありはしない。それまでは指をくわえて眺めてただけだ」「食堂の飾窓をのぞいてるみてえだ」「初めは例の果物の代りを手に入れるつもりだったのが、ああこうやってるうちに果物そっちのけで文明が進歩し今のようになった」「まったく御隠居さんは物知りだ。人間がなぜ立つ様になったかどの本にも書いてなかったが、食欲たあ知らなかった」「性欲で立ち上ることはないさ。又技術の発生についても相当強い欲望がないと生れない。強い欲望とは一度うまい汁を吸った経験がないと出てこない」「戦時中のガキどもがチョコレートを食いてえなんて考えなかったようなもんですね」「長い間味わったものが手に入らなくなった時に欲望が生れる。こうなると欲望は文明の母だ。したいことを努力してやりとげるところに進歩がある。ところで仙さんもやりたいことがあるだろう」「ある」「えらい。努力してやってみたらどうだね。何がやりたい」「さっきから話の聞き通し、お茶の飲み通しで、小便がしてえ」

（おあとの用意がよろしいようで）

――「宇宙塵」1957年7月号

環（わ）

いったい人間はこれからどうなるんでしょうねえといったようなことを時々思いついて話し合い、だが、いつもはそんなことはちっとも気にせず、明日はすこしでもいいから良くなるように、とちいさい声で口ずさみながら自分の生活を続けてゆくひとびと。それでも、時々は浮気のひとつもしてみたくなるが、うちにいる妻子を考えると胸の奥の良心がちくちくと痛み、むなしくあきらめて暮してゆく。あきらめることのできない恋は、一生のうちだれでも一回はある。その恋はきりきりと身に迫り、躰（からだ）がよじれるように、しぼられるように思われ、すべてを捨ててもいっしょになりたいと思いつめる。その時理性は反対に冷え、静かに、だが抗することのできない力を含んで、おやめなさい、とただひとこと。この争いが大きくなれば苦しみは更にふえる。やっぱり、苦しさも楽しさもみずから作った幻じゃあないか。しあわせは天使が運んでくるものと思っていたのに。むかしからそんな話が伝わっていた。いつくるの、いつくるの。誰も答えない。答えがないのは天使なんていないからさ。それなら、われわれで天使を作ってしあわせを持ってこさせよう。みていても胸のつまる、いじらしい人類の願い。その願いの通りに天使が一人誕生した。ある人が科学と名前をつけた。おかしな名前だな。だけど名前なんて符牒だもの、なんでもいいのさ。なれてくれば気にならなくなるものだよ。なるほど、気にならなくなった頃には、天使もだん〳〵大きくなって、少しずつ用をたしてくれるようになって来た。夜も明るくしてくれないか。はい。家にいても遠くがみたい。はい、テレビ。従順で正確で、なんでもしてくれる天使。ひとびとは喜び合い、ひそひそと相談をしはじめた。われわれの作った天使も、すっかり一人前になったようだ。そろ〳〵しあわせを持って来させてもいい頃だ。たのんでみようじゃないか。それを聞いた天使はいつものように、はい、と答えた。さすがの天使もちょっと困って、どうしようかと考えた。早くしてよ。まだかい。もうほかのことは頼まないから、ぜひこれだけはやってくれよ。おとなしい天使は自分を作ってくれた人類の恩に報いるのはこの時とばかり、あちらこちらを飛び回って、いそいそと働き始めた。ピラミッドの底にもぐり、中国の奥地の仙人に会い、インドに行ってヨガの行者に聞き、アマゾンの上流では脳手術を調べた。そして、私にはこれ以上のことはできません、と言いつつ取り出したのは、銀色に輝く細長いナイフ。これを首すじのうしろからそっと突きさし、神経を左右に切り離した。痛みはない。ひとびとはその日から人生が二倍楽しめた。右の目でテレビを見ながら左の目で新聞を読めた。右の手で手紙を書き左の手で将棋を指すこともできた。二つずつある器官の意味が判らなかったが、お前のおかげで判ったよ。みな天使に感謝した。もっと楽しいことにそのうち気がつく。だれでも、もう一人ずつ異性と愛し合える。もう、むかしのように良心の呵責もなくなった。健康的な異性と享楽的な異性。矛盾なくおの〱両側に一人ずつ手を握れた。明るく楽しく、歌を歌いながらつながれた手は、つぎ〱と人数を加えて伸び全人類に及んで、最後にひとつの輪になった。天使をまんなかに歌う声はいっそう大きく、しあわせが来た、しあわせが来た、と口々に叫び踊り始めた。その時、足は地を離れて、土星の環のように地球のまわりをとりまいた。踊りはつづき輪は廻りつづけている。そして、人類を失い天使ひとり残った地球のあとに輪は更にひろがり天の川になった。はるかはなれた所でみると、それはひとつの環状星雲に見えた。遠い遠い星の住民は、あれはきっとたくさんの星の集りにちがいない、と言っている。そこでは、歌う声はちいさく、かすかになって、もう殆んど聞えない。

——「宇宙塵」１９５８年４月号

ミラー・ボール

当地に転任して一ケ月。少し落ちついた。当分この地方都市で過すことになる。このへんの風物をこまごま書いたって面白くはあるまい。書く方も興味はないし、読んだってつまらないだろう。べつに不自由もないが、気の合った友人と一杯飲みながら商売抜きの雑談をする楽しみがなくなったことが一寸つまらぬ。だから雑談代りの手紙を書くわけだ。

最近はマスコミ間の競争が一段と激しくなったようで、貴兄もなかなか大変だろう。特に貴兄のように新聞社の企画部長などに在る者はもういいかげんくたびれたろう。輪転機は現代の猛獣だからな。これを使う猛獣使いは誰でもくたびれる筈だ。なにしろ一日二回は必ず餌をやらなくてはならないんだから。しかも新鮮極りない食物を。それに食欲は進むばかり。一方餌の方はと言うと社会が平穏になって大いに心細くなった形だ。この板ばさみになって、猛獣使い兼飼育係は一日中かけまわる。

なにもそんなに無理して餌をやることはないだろう。などとちょいと得意になって提案するおっちょこちょいも時にはあるんじゃないかい。だがそれはとんでもない話だ。餌をやらないと猛獣使いが食い殺される。腹の足しに食うのではない。食い殺したらもっと餌をたくさんくれる人間が代りにくるだろう、といった理窟なのだ。

　未来からの伝説にはよくある。ロボットを作って雑用をやらせているうちはいいが、人間は凝り始めるとひとつ覚えに精巧に精巧にと手を加えたがり、あっと気がついてみると反対に支配されていた、と言う話だ。何か相通ずるものがあるような気がする。だがロボットならハンマーでなぐってこわせないこともないだろうが、輪転機と言う猛獣は絶対死なない。この排泄物を毎朝毎晩貪る大衆が無数にいるのだから。新聞紙は新興宗教のお筆先よりも、恋人からの手紙よりもはるかに強く毎日の行動を支配するものだ。喜怒哀楽を毎日与えてくれる新聞は大衆の生命だ。麻薬と同じ力を持つ。これを排泄する動物を殺すわけにはゆかない。必死になって餌を運びつづけなくてはならない。

　なんでこんなくだらぬことを長々と書いたかと言うと、さぞたいへんだろう、とひとこと貴兄をなぐさめるためだ。全くこのごろはねぎらう言葉も価値が下ったからな。どんな仕事をやったのか知りもせぬ者が、ごくろうさま、を連発するから困る、却って言われるとうんざりするものだ。ねぎらう前にどんなにたいへんかは良く知っているぞと説明が要る時代になってきた。

しばらく前から始まっている貴社のクイズは好評で結構だ。いくらかはホッとしたことと思う。だが大衆はいずれは飽きる。戦争だろうが平和だろうがいつかは飽きるんだから、クイズ如きは比較になるまい。そろそろマンネリの声があるようだ。次の演し物の準備が必要だ。それが貴兄の仕事らしいね。しかしどんなに料理しても人蔘は人蔘。ちょっと形を変えたぐらいではおっつくまい。全く新しいものでなくてはならないわけだ。

普通の仕事を片づけるのなら貴兄の敏腕で活動家といった特長を発揮すればそれで済む。だが名案をひねり出すにはやっきとなってとびはねたってどうにもなるまい。却って悪い。さればといって当方にも良い知恵があるわけでもない。ただ同情するばかりだ。

頑張ってくれよ猛獣使い。猛獣使いと言っても怒るな。全社会がオートメーション化しても最後まで人間が受持つ部分は貴兄たち猛獣使いだ。大いに尊敬の念がこめてある。

ではくれぐれも健康に気をつけて。

岩手県R市　望月生

S新聞社　小川君

とつぜん手紙を差し上げます。是非この手紙をお読み下さい。決して損にはなりません。私は文房具店をやっています。かたわら実用新案をいくつかとりました。発明家です。発明狂ではありません。くだらない思いつきを秘密という肥料で大きく育て、それを毎日眺めて楽しんでいるのが発明狂です。つまらぬ初恋の思い出を抱きしめながら、それを救いとして退屈な夫婦生活を過している多くの人間と同じく感心した存在ではありません。私は発明家の方です。常識のバランスのとれた素直な青年です。安心して下さい。

ところで用件と言うのは貴社のクイズについてです。私はマニアではありませんが、商売柄大衆の流行に興味を持って、成り行きを見ているわけです。今のクイズも大分人気がありますがいずれは飽きられると思います。聞くところによれば貴社は何か変ったスポーツでも始められるとのことですが、その前に私の提案するクイズを採用して下さいませんか。水爆付ロケットが最終兵器ならこれは最終クイズです。これ以上のものはありません。特許をとりたいと思うのですがクイズの案は受付けてくれません。そこで信用ある貴社に買って頂きたいと思うわけです。次に御説明しますからどうぞこの点よろしく。

そもそも今までのクイズは答がすでに初めからきまっているのです。まさか途中で答を変えるわけにも行かないぜ、と思われるでしょうがまあ待って下さい。答がきまっているから当選者が多く出すぎるし、だからといって難しくすると読者が怒る。この点でお困りではありませんか。

私の案は、一から千までの数のうちひとつを選んで投票させるのです。それで得票の多いものに投票をなさったかたに抽籤で、となると普通の人気投票ですが、最も得票の少ない数に投票した者を当選者とするのです。

きっと受けます。競馬競輪で大穴を狙う面白さを大衆的にしたものです。競馬競輪の大穴はめったに出ないが、このクイズはいつも大穴が出て、それが答となるわけです。大衆の作り上げた盲点が常に答となる。毎週の発表によって大部分の者が盲点をつかれ、あっと言う。これが楽しいんです。落語だってスリラーだって最後がアッと言う結末だから面白いんです。

しかし確率千分の一の運さ、と割り切ってしまって誰もとびつかないんじゃないか、と心配されるに違いありません。だが戦後は人口も増えインフレにもなって千という数を大きな数と思っていません。千円はそう大金ではありません。映画スターになるんだって、プロ野球の選手や作家になるんだって千人に一人どころではありません。それなのにワンサワンサと押し合っているんですから。

それは第一回は運があるにしても次からは違います。宝クジだって数字を見ないでは買いません。何回もやっているうちにそれまでの結果をくらべて考え始めます。そうなればしめたもので考える資料は毎週ふえる。すると投票したくもなってくるに違いありません。今までのクイズは次第に飽きられるが、これは次第に人気が出ます。

そう言えば人気とはおかしなものですね。流行歌なんか良い例です。今はやりの桃山五郎の「黒潮だより」も大衆は彼にそればかり歌わせたがる。しかし彼がそれに応じていては人気が落ちる。人気を保つには大衆の要求に反してほかの歌を歌い始めなければならない。人気を支えるものはアマノジャクです。このクイズはこれにぴったりでしょう。

それに又世の中がせちがらくなってきているから誰でもひとを出し抜くのが好きだ。この点からもきっと受けます。

更に集計にも便利です。字を埋めるクロスワードに比べて何十分の一の労力です。又一人で何枚も投票するものが減る。千枚のハガキを買い込んで一から千まで書いて行くなんて、自分がみじめに思えて出来るものではありません。

どうです、いい案でしょう。ひとつ御検討の上御連絡下さい。この手紙は貴社に出しただけです。私は昔から貴紙の読者なのですから。もし貴社で採用なさらなければほかの新聞社に持ち込むつもりです。

用件のみで失礼しました。

品川区　伊藤信二

S新聞社　企画部長殿

前略。早速採用して下さって有難う存じました。お送り下さった金拾万円也、たしかに受取りました。これを使って子供の新しいオモチャを試作します。

クイズは週刊誌で先ず使うとのこと。結構でしょう。大いに売行きを伸して下さい。ひ実を申せばこんなにうまく行くとは思っていませんでした。頭ひとつで十万円。ひとりでニヤニヤしております。しかしこれも頭より肉体労働を重んずる古来の美風に染っているからかもしれません。早く、頭は売ってもからだは売らない、と威張れるような時代になればよいと思います。

敬具

伊藤信二

企画部長殿

小川君。とうとう新しいことを始めたね。このへんでもさわいでいるところをみると、東京ではさぞさかんなことだろう。大ヒットだ。

マスコミに押えつけられ、はね返そうとしても結局はマスコミにすがりつく以外にない哀れな現代人にとって、アマノジャクごっこは全く手頃なオモチャだ。

友人との雑談で友人が得々として喋(しゃべ)る話題が実は自分もさっき雑誌で読んで知っていた時。反対に自分の喋っていることが相手も今朝の新聞で知っていることかも知れないと気がついた時。やりきれない気分だ。空虚とか虚無とかは会話の用語としてはスマートなアクセサリーだが、自分の心に形容詞となってかぶさってこられては誰だって御免だ。

均一化され規格品と化しつつある大衆は、人間としての最後の目じるしを自分で作り出そうともがいているわけだ。以前は個性とは生れつきのものだった。たまには自己喪失を看板に威張っていた奴(やつ)もいたがそれも個性だった。だが失ってみると有難さがはっきりする。ついにひとに黙って苦心惨憺(さんたん)個性を作り上げなくてはならなくなった。

若いくせに禅だの、謡(うたい)だの、心霊術や易をやる者がいる。卵の中味をインキに入れかえ紙にぶつけて芸術と称する者も出た。すべてひとのやらないことをやって個性を作ろうとしているわけだ。

しかし金も暇もない大部分は、その早わかり、研究の手引、はては批評の方法までの記事が雑誌週刊誌に載ることを期待し、一方マスコミはすぐそれに応じる。その瞬間にすべては現代常識のひとつとなって、個性製造の助け舟どころかますます均一化を進めるばかりだ。

趣味の関係ばかりではない。「ぶっきらぼうの魅力と利益」とか、端的に「個性の出し方」とか、もっと極端なのは「ひとより目立つ法」など毎月毎週特集記事となって載っている。どれもこれも心をひかれる見出しだけれど誰もが同時に読んでいるわけだ。全くひとを馬鹿にしていると思うね。

なにしろ個性を作らなければ出世や成功はおぼつかない。ひとの真似をしていてはそれ以上にはなれっこない。そこにアマノジャククイズがあらわれた。砂漠のオアシスだ。今までのはすべて蜃気楼。

まあ大ヒットとなった解説はこんなものだろう。尤も流行してからの解説はだれでもできる。小生も素直に感心していた方がよさそうだ。

毎週週刊誌に出る当選者の写真を見ると得意そのものだ。頭をしぼって考えている大衆の裏をかいてまんまと出し抜いた喜びは金銭では得られまい。当選は運かも知れない。だが彼らは考えに考え抜いて当選した。無統一にとびはねる数字から統一を見出したつもりでいるわけだ。この場合、決して運だとは思わないだろうな。

ちょっと不思議なのは大ヒットではあるがブームではない事だ。熱っぽさがない。きっと他人と相談して応募しないからだろう。ひとに聞いた数字を書くのはすでに矛盾だし、まじめに教えてくれる筈もない。決して予想屋が出られないからだ。たとえ一秒間で何千桁の計算をやってのける電子計算機を使っても予想は出来ない。この魅力で当分続くだろう。

君も相当ボーナスが出ることだろう。この予想は絶対確実。おごって貰いたいが今のところ上京の予定がない。

はるかに御成功を祝す次第だ。

望月生

小川君

拝啓。私は予想マニアです。変った趣味でしょう。なにか新しい事が始まるとカーボン紙で写しをとって予言を書いて送ります。当ったときだけの写しを取って置きます。たくさんたまったら本職の予言屋になるつもりです。

貴誌のクイズは流行しますが、最後に新聞社をつぶします。当り前のことですが、アマノジャクは寄生虫やヴィールスと同じに何か相手がないと存在しません。そして相手を食いつぶして自分もなくなるのです。ちょっと気になりませんか。

今までは週刊誌の売行上昇の裏には必ず軽薄で熱狂的で白痴じみたものを伴っていたでしょう。そしてその企画を立てた者は如何にもジャーナリストらしい満足感にひたったものです。しかし、今回はそれを感じないでしょう。陰にこもった流行のようです。読者は黙って買い、裏表紙をめくって結果をみる。どんな扇情的なトップ記事も浮き上った感じです。

これが進むとどうなるでしょう。昔から新聞は政治や経済の危機を叫びつづけ、読者はそれにつれてウロウロするのがお互いの約束になっている。このルールが崩れてきます。催眠術がきかなくなるのです。

「本誌独特のクイズ」の看板で他社を圧倒しているのは結構ですが、いつかは自分に及んできます。

少し独断的なところがありましたかな。しかし予言とは独断的なものと御了承下さい。

敬具

S週刊企画部長様

市川市　村山放斎

偶然友人のうちで貴誌を拝見し、それ以来クイズのとりこです。読者の意見を求める、とのことで手紙をさし上げる次第です。毎回もう少しの所まで行っています。いま一息と思いますがそれは誰でも考えていることで、それ以上の努力をするつもりです。入試の発表を待つスリルに似た独特の期待で毎週の発表を待っています。

最近は考えることが面白くてたまりません。昔は物を思わざりけり、です。こんな風潮がひろがり始めたのは良い傾向ですね。今まで日本にはなかった個人の自覚が発生したわけです。日本では家とか社会とかモヤモヤしたものに頼りすぎて自己の認識がなかったのでした。

各人が個人としての意見を持ちはじめ、その上で集団を作るようになってこそ近代社会になれるのです。今までの大衆は十把ひとからげに分類される立場でした。人々を分類するぐらい無礼なことはありません。もはや大衆を賛成反対無関心の三つに簡単に分けてしまうこともなくなります。政治もよくなるでしょう。

大いに貴社の企画に賛成します。

S週刊企画部御中

O工業大学学生　安田敬

いったい貴社はなんてことを始めたんだ。売上げを伸すために手段を選ばないのは小商人だけでたくさん。わけのわからんクイズのおかげでだれもかれもひとが悪くなりやがって、昔からの腹をうちわって話し合う気持のよさがなくなったじゃないか。ねてもさめてもうしろに回ってひとの足をかっさらうことばかり考えやがって、目つきまでずる賢い光を帯びた連中がふえてきやがる。

こんな知恵を考え出したのはどこのどいつだ。国民を分裂させるためのどっかの国の陰謀にちがいない。新聞社ともあろうものがこの全貌（ぜんぼう）を暴露しないで反対に手先になるとは。しっかり立ち直ってくれ、長い貴社の伝統が泣くぜ。

浅草　香車寿司　源吉

S新聞社　企画部長様

毎週クイズを楽しんでいる会社員です。昔からほれっぽいのかすぐ女の子に熱を上げてしまうたちです。しかしうまくいったことはありません。映画につれていったり、プレゼントをしたり、懸命に努力するのですがいつも失恋ばかりです。仕方がないのでうさばらしにクイズをやっているわけです。

しかし最近どうしたことか女の子にもてるようになりました。クイズのおかげです。反対に反対にと考える習慣が身についたからでした。今までですと女の子に会うとすぐ声をかけてしまったのですが最近はアマノジャクになって知らん顔をすることにしたのです。どうでしょう。向うから声をかけてくるではありませんか。以前の私だったらとび上って喜ぶところですが冷淡に口をきくことにしています。ますますもてるようになりました。

しかしあんまり楽しくありません。もてなかった昔の方が楽しかったようです。いったいもてなくて楽しいのともてて楽しくないのとどっちがいいか判(わか)らなくなりました。だがやむを得ません。人間の頭は一段進むともうもとに戻らなくなるのが欠点です。

といってほって置くのも癪(しゃく)なのでいい方法を考えつきました。それは女の子たちにクイズをやらせることです。面白いから毎週応募してごらん、とすすめています。彼女たちも次第に興味を持って来たようです。そのうちなんらかの変化が見られるだろうと期待しています。

S週刊クイズ部長殿

丸ノ内　K物産　長野正雄

B大学の野球部の投手です。いつもクイズで相当のところまで行っています。いずれ入選します。なぜ相当のところまで行っているかと言うと投手をしているからです。打者がヤマを張っている所を外して投げ込むことばかりいつも考えているからです。ひとの裏をかくのに慣れているわけです。

しかし最近クイズの流行で打者の方も投手の裏をかくのがうまくなりました。裏の裏をかかなくてはなりません。今までは打者を観察してどんな球を待ちかまえているか考えればよかったのですが、このごろは打者の方でも投手を観察しているので、私を観察している打者を観察することになります。この間はあまり考え過ぎて審判に早くしろと注意されました。打者の方も同じことを考えているのでしょう。鏡を二枚向い合せに立てたようなものですね。

野球選手なんて頭があんまり良くない者のように思われていますが、どうしてどうしてこれからは普通の頭ではつとまりません。

アマノジャククイズのおかげでスポーツ界も進歩するようです。

B大学合宿　須藤進

S新聞企画部長殿

私は中学三年の男児の母でございます。主人は実直な会社員で生活は順調ですが、子供が一年ほど前から次第に手に負えなくなり、ことごとに反抗して困っておりました。どうも思いあたるふしがなく、もしかしたら私からの遺伝ではないかと考えるとますますいやになって、たびたび叱っていたのですが却ってひどくなるようでした。本などを見ますとこれは人生で誰でも通る一時期だからあまり気にするな、などと書いてあります。

それがこのごろ急に従順になり、どういう訳かと心配になりました。この従順になることが、反抗のひとつのあらわれではないでしょうか。従順なのが反抗のあらわれなら、普通に反抗する方が素直で良いと思います。本には反抗期はまだ続くように書いてあります。

或はそのうちまた反抗するようになるのかもしれません。その時は喜んで良いものでしょうか。私はあまり頭が良くないせいか困っております。お教え頂けないものでしょうか。

部長様に手紙を差し上げる筋合ではないと存じますが、なにかしら貴社のクイズの流行と関係があるように思えますので、お出し申したわけでございます。

杉並区　木下敏子

S新聞社企画部長様

貴社のアマノジャククイズの流行が、妙なところで役に立ちましたのでお知らせします。申しおくれましたが、私は高校の理科の教師です。昔とちがって、ちかごろの生徒はさわぐことが多くて困ります。そこでこの間、あんまりわいわいさわぐので教壇の下にテープレコーダーをかくして置いて録音しました。次の時間に適当に編集して聞かせたのです。生徒たちはシーンとなり神妙でした。そこでおもむろに教訓をたれたわけです。

「君たちは若いから反抗したがる気持はわかる。だから反抗をするなとは言わない。だが反抗するならもっと有効にやれ、電流で磁石の針が動くなら、その反対に磁石を動かして電流が作れる筈だと考えて、ファラデーは発電機を考案した。又電気が熱を起せるなら電線を熱したなら電気となる筈だと考えて新らしい発電機も作られている。大昔は生命は自然に発生したとされていた。パスツールはこれに反対して、生命は生命から生れると主張して男を上げた。これが最近ではオパーリンが生命は自然に出来るものだと主張して有名になった。つまりひとの出した結論と逆の結論を作ってなんとかして、そこに至る理論はできないか、と考えることが科学を進める力だ。いや科学ばかりではない。文化はすべて偉大なアマノジャクによって飛躍する。君たちもさわぐひまがあったらクイズでも考えて頭を練ったらどうだ」

生徒たちはおとなしく聞いていました。あんまりうまくいったので振りむきもせず教室を出て、それからちょっと舌を出しました。あとで考えてみると、もし振り向いていたら生徒たちがいっせいに舌を出していたのが、見えたかも知れません。

目黒区　P高校　杉山充

S週刊クイズ部長殿

私はアマノジャクがきらいでした。アマノジャクは弱者のやることです。弱小国家、弱小政党、弱小人間。すべてアマノジャクです。軽蔑（けいべつ）すべきことです。しかもこんな目ざわりなものはありません。右と言えば左と言うやつほどひとをイライラさせるものはありません。ノイローゼになりそうでした。

どうしたら気にならなくなるだろうと考えているうちに、ふと気がつきました。自分もアマノジャクになればいいのです。

銭湯にいって熱いのにうめさせないで頑張っている老人のそばに寄り、湯の方の栓をひねってやりました。こっちもやけどをする思いでしたが、死ぬ気で我慢していると遂に老人は出てしまいました。ちょっと愉快でした。今夜からぐっすり寝られそうです。となりのラジオがうるさくて困る時には、こっちでもラジオをつければ良いのと同じ理屈ですね。

文京区　川島和夫

S週刊企画部長殿

一筆啓上致します。小生すでに老人で隠居の身分であります。毎日読書にふけり、特に歴史ものに興味を持っておりますが、歴史に名を残す人物は負ける戦に出陣するとか、皆のとめることをなすとか、大衆の意に反したことを行うとか、要するに偉人とは反骨の所有者なりと悟りました。反骨こそ偉大です。偉大だから反骨に見えたのだとは後世の連中が結果からつけた理屈です。

つくづく若い頃からもっと反骨であるべきであったと後悔しております。これからでもおそくはあるまいと思い、日夜努力しております。皆は老生を指して頑固になったと申しておりますが、楽しくてたまりませぬ。

しかし貴社のクイズのせいか時々うまく行かぬことが起ります。先日銭湯にて後より入って来た若者がうめようとするので、制止しようとすると湯の方を出しました。これにはいささか参り、発作でも起ってはと、とうとう上りました。くだんの若者はにやにや笑っており、癪にさわって仕方ありませぬ。

だが、なかなか見所があるわいと感じた次第であります。貴社の試みにより若いうちより反骨精神を植えつけておけば、いずれは大人物も出てくるに違いありませぬ。昨今までは若いものたちのさまを見て少々なげいておりましたが、そう心配は要らぬことに相成ると思われます。すべて貴社のおかげ。敬意を表すため手紙をしたためた次第であります。

文京区　井上竜作

S新聞社企画部長殿　机下

私はデパートに勤める若い女性です。自分では美人だと思っております。それに自分ばかりではないようです。美人コンテストには、たいてい出かけて行きます。一等にはなったことがありませんが、五位ぐらいならたびたびなります。ぜひ一度は一位になりたいと思っておりました。

この間某所で開かれたコンテストに、今日こそはと出かけたのです。ところが驚いたことにミス・アマノジャクでした。今までは得票の多いものが一位でしたが、逆に最も少い得票が一位で投票者には賞品が出るのです。貴社のクイズの流行が遂にコンテストにも及びました。

この時、私が一位になったのです。私の手から投票者に賞品をお渡しし、私も又賞品をたくさんいただきました。帰る道で考えたのですが、まだ今でも考えているのですけれど、一体私は美人なのでしょうか。それとも不美人なのでしょうか。又一番平凡なのでしょうか。顔付がアマノジャクらしいのかしら、アマノジャクらしくないのかしら、と気にしています。ひとつ教えていただけないでしょうか。御返事をお待ちしています。それを拝見してから、喜ぶなり悲しむなりしたいと思っております。

池袋　中谷千賀子

S週刊企画部長様

貴社のクイズのおかげで、アマノジャクがふえることは良くないことだと思います。

親がかまってくれないと、子供は泣き叫んだり、いたずらをして注意をひこうとします。アマノジャクはそれと同じです。ひとの注意をひこうとするわけです。結局子供と同じではありませんか。精神年齢が低いのです。それともマスコミのせいで白痴化してきたのかもしれません。

もっとも、現代人が愛情に飢えているのはよくわかります。だれだって人に愛されたい。それには人の目にとまらなくては。しかしそれには人目をひかんがためのアマノジャク、アマノジャクのためのアマノジャクであってはいけないと思うんです。その弱味につけこんでクイズを流行させる貴社の方針に反対します。

人間が生きて行くのには、もっと正しい方法を使わなくてはいけない。

長野市　原秀二

S週刊クイズ係様

このたびはじめて入選した者です。こんなにうれしいことは滅多にありません。私の名前と写真ののった週刊誌は、たくさん買いました。賞品のバッジも確かに受け取りました。私もやっとアマノジャクの第一人者の列に加われたわけです。晴がましい気分です。

アマノジャクとかつむじ曲り、へそ曲りは、昔は軽蔑の意味を含んだ言葉だったらしい。しかし今は違います。もっとも、友人のなかには私をからかう者もいますが、これはなにかのコンプレックスが言わせているのですから、私は得意です。しかし得意になるのは平凡でアマノジャクは反対であるべきかも知れませんが、どうもこれだけはそうも行かないようです。喜ぶとか得意になるとかは理性でコントロール出来ないものです。どうにもならない人間性とか言うやつでしょう。その人間性に甘えてバッジをつけて歩いています。

世の中の連中の考え方も随分変りました。貴社のクイズの影響は大きい。昨夜あるバーに入ったのです。このバッジをつけていればさぞもてるだろうと思っていたわけです。そぶりだの目つきなどから確かにもてたらしいのですが、会話は少しへんでした。あとで、どういうわけだろうと考えてみて判りました。

この人はバッジをつけているわ。だからよその店でさんざんクイズの話をさせられたに違いない。ほかの話題を出した方がいいのかしら。それともよその店でも同じように考えて、クイズの話が出なかったのなら、こちらではクイズの話をした方がいいのかしら。どちらがサービスになるかと考えていたらしい。とんちんかんな受け答えばかりしていました。しかし女性のそんなそぶりは結構魅力があるものですね。

恋愛なども高級になるでしょう。一時はやった動物的な、頭を使わない方法に代って理性的なのが盛んになるでしょう。頭は床屋をもうけさせるためだけにあるのではありません。あるものは使わなくては勿体(もったい)ない。

世の中は弱肉強食に出来ているのです。いずれにしろ争わなければならないなら、腕力の争いより頭の争いの方が高級なのでしょうね。いや、自分の事をほめているわけではありません。社会が進歩していることを言っているのです。科学が進んでも、社会は進むまいと思っていましたが、まんざらそうでもないようです。

ここまで書いた時ハガキが来ました。入選の秘訣(ひけつ)を教えてくれといった趣旨です。しかも二通。返事を出してやりますかな。

ではこれで失礼します。先(ま)ずは御礼まで。

港区　松田弘(ひろし)

S新聞企画部長殿

僕は高校生です。前から「例外のない法則はない、と言う法則には例外はないか」とか「私はウソツキです、と言う言葉は本当か」といった話を何より好んでいました。大分前に友達とある問題で議論をはじめました。それは親からアマノジャクな性質を遺伝されて、生れた一卵性双生児をいっしょに育てた場合にどうなるか、という問題です。

S新聞社のこんどのクイズはその点、僕たちは大いに興味を持っています。みんながアマノジャクになったらどうなるか、の結論が出るわけです。毎週毎週がたのしみです。

いつもその友達と検討したり、最後にどうなるのだろうと予想しあったり、楽しくてたまりません。ガールフレンドと遊ぶことも勉強もそっちのけです。これはいったい高校生として、良いことでしょうか。

横浜市　毛利信夫(のぶお)

S週刊クイズ部長様

貴社のクイズには毎回応募していますが、ちっとも当りません。いつも得票の多い数にばかり投票してしまいます。私は頭が悪いのでしょうか。この現代に生きて行けるのかどうか自信がなくなりました。なんとかお助け下さい。

助ける方法はない、とおっしゃらずにお願いします。方法はあります。同封の応募用ハガキ、裏面は数字を記入してありませんから、締切後に部長さんの手で最も少い数字を記入してすべり込ませてください。そうすれば友人たちに威張れます。私はいつも友人たちに馬鹿(ばか)にされているのです。
是非お願いします。五百円を同封しました。

神戸市　松下雄吉

S週刊クイズ部長様

昨晩親しい友人とバーで一杯のみながら議論しました。友人は「人間はもともとアマノジャクなものだ」と言いましたので、私は「いや違う、後天的なものだ」と、主張してしまいました。べつに今までそんなことを考えたことはなかったのですが、この頃は反射的に反対する習慣がついてしまいました。それから理屈をつけたわけです。「後天的である理由はだね。他の動物を見てみろ。アマノジャクなんてあるものか。統一のある行動をしているぜ。人間だって動物の一種さ。しかし人間が他の動物と違う点はただひとつ、教育できることだ。この教育に伴ってアマノジャク性が伸びてくる。だから教育が高くなるほどアマノジャクになる。インテリを見てみろ。反対することだけが特長だ。インテリの支持した政府なんてあるものか。相撲も野球も強い方が負けるのを喜ぶのがインテリだ。どうだい、やっぱり後天的だろう」

われながらうまい理屈でした。だが友人は、

「いや違う。アマノジャクは闘争本能だ。人間は何十万年とかかってやっと万物の霊長になれた。これは闘争本能が強かったからだ。しかし闘争相手がなくなっても本能は依然残っている。この使い途(みち)がないので、わざわざ神を作り出してそれに反抗してみたり、お互い同士で反抗したりするのだ。だからアマノジャクがなぜ面白いかは説明つけられまい。面白いから面白いのさ。それが本能であるひとつの証拠だ」

と言います。適当に愉快になり酔も廻ってきた時、見知らぬ酔っぱらいが横から口を出し「サルトルとカミュは革命か反抗かで論争した」とか「テーゼとアンチ・テーゼとは」とかわけのわからないことを喋(しゃべ)り始めたので、クソ面白くもない奴(やつ)だ、と我々はこの時だけ意見一致して店を出ました。よそでもう一軒飲み直そうとべつの店に入り、議論を続けた次第です。しかし別れぎわに気がついてみると、私が先天的を友人が後天的を主張していました。どこかで入れ替ってしまったらしいのです。しかし楽しいひとときでした。

なにもこんなことを手紙に書いて出すほどのこともないのでしょうが、書いてしまったのでついでですから切手をはって出します。モノズキですかな。いずれモノズキブームもくるでしょう。

一読者

S週刊企画部　御中

社会にはなぜ法律が必要か。それは悪があるからだ。しかしこのままで行くと法律があるから悪が発生するのだといった状態になりかねない。もっとも何々スベカラズと言われるとやりたくなり、決して喋るなと念を押されると、喋りたくなる傾向はいくらかはあった。だが将来は法律を見ると悪事を働きたがる者が多くなるに違いない。法律が正義の象徴であるためには、アマノジャクをこれ以上助長してはいけない。むしろ根絶すべきである。

貴社も相当利益をあげたことと思うが、薬品か電波かで脳のアマノジャク部分の細胞を破壊する方法の研究にでも資金を出したら良いのではないかと考える。社会の平穏を保つにはこの研究以外にはない。実は小生永年この研究を行っているもので、近日中に資料持参の上御説明に参上するつもりである。よろしくお願い申し上げたい。

福山市　布施(ふせ)半次郎

S新聞社企画部長殿

私はぼんやりと夢のようなことを考えるのが好きです。昨日は日曜なのでうちで寝そべって次のような話を考えました。

貴社が全国アマノジャク大会を開催する。各地区に分けて予選をやり、最後に中央で決選をやる。次第に落伍していって最後に二人残る。二人ではどっちがアマノジャクかは優劣をつけられないのでそれぞれに賞品を与える。この二人は若い美男美女だった。お祝の会で並ばされた二人の間に知らず知らず恋心がめざめる。選ばれた者二人。アダムとイブになったような気持になる。しかし心はひき合っても話は反撥しあう。結ばれるには一方が屈しなければならないのだ。だが一人が屈して意見を同調させたとしたら、二人とも特質を同時にうしなうことになる。結局そのまま別れてしまう。心では「人類の中にアダムとイブを恨んでいるのも大ぜいいるのだ。自分たちもあとで新人類に恨まれてはいやだからな」と、二人とも判ったような理屈で自分を慰めながら。

あんまり面白い話ではありませんね。

札幌市　染谷智也

S週刊企画部長様

私は生物学を将来専攻しようと思っている大学生です。生命とは統一性です。物質が集って小さな細胞となり、それが集って器官となり、又それが集って個体となりすべて完全にひとつの規律のもとに活動する。この統一力こそ生命です。

貴社の企画は生命の原則に反しています。私は悲観的なたちなので、何でもすぐ人類滅亡にひっつけてしまう傾向がありますが、アマノジャククイズは放射能以上に憂うべきことです。

この間までは同性愛の流行がナルシシズムの流行に進み生殖が止って滅亡するのではないかと考えていました。しかし何れにせよ人類は滅亡するのです。学問は何のためにやるのでしょうか。いっそ自殺でもしようかと考えました。と、いったことを悩んでいたのですが、もう悩むのに飽きました。他人の疝気で頭痛になるのは損です。学生らしい学生になる決心をしました。ボクシングでもやって筋肉と神経の関係をしらべ、女の子をだまして生命創造の実験でもしようと思いたったのです。

新宿区　鈴木錬一

S週刊クイズ係殿

仕事が忙しくなってしばらく御無沙汰したがその後どうだい。時々週刊誌はのぞいているが、例のクイズ応募者があまりふえなくなったようだね。この間など前週よりへった時があったじゃないか。どうしたんだろう。おそらく君の方では大いに検討しているんだろうが。

だが、いったいこのクイズの功罪はどうなんだろう。ひとと違ったこと、変ったことに興味を持つようになったのはいいが、そのうち変ったことだけにしか興味を示さなくなるんじゃないかな。それでもいい、と言う者も多いだろうが一寸心配だ。それともこっちの心配しすぎかも知れない。では又。

望月生

S新聞社　小川君

私は散慢な性質なのでよく考えたわけではありませんが、アマノジャクはサディズムやマゾヒズムと関係があるような気がします。やはり性欲から出たものでしょうか。性欲とは体内のどんな作用なのか良くは知りませんが、大きな力であることはたしかです。原爆も原子炉内で徐々にエネルギーをとり出せば非常に役に立ちます。性欲も同様、ポンポン発散させてはつまりません。性欲が本来の形から変れば変るほど高級と呼べるようになるのです。アマノジャクはその最終形態なのでしょうか。

伊豆　療養者　川口満

S週刊企画部長殿

拝啓。貴社益々(ますます)隆盛ですね。アマノジャククイズ大いに賛成です。貴社はお気づきかどうか知りませんが、人間に新しい楽しみを一つ加えたことになっているのです。それに食欲、性欲、安楽、勝負、笑い、その他昔から楽しみはいくらもありました。それにアマノジャクを加えたわけです。もっとも昔からアマノジャクを楽しんだ者はありました。だが生活に困らないものか、生活をなげうつ覚悟でやる者かのどちらかだけだったのです。それが今では生活と切り離して純粋に味わえるようになりました。

貴社は新しい娯楽を大衆に与えたと言うより新しい感覚を目覚めさせたのです。全く人間はくめども尽きぬ泉です。まだまだ他にも眠っている楽しみがあるのではないでしょうか。宇宙宇宙と外へ出かけるのも結構ですが、人間性の内部を探って新しい娯楽を作り出して下さい。

敬具

名古屋　各務節郎

S新聞企画部長殿

クイズが始まってから随分になりますね。非常に興味があります。第一回からの当選の数字をグラフ用紙に記録し線でつないでいます。もっともこんなことは誰でもやることで珍しくはないでしょう。しかし昨日この表を見ていると人間の作ったもののうち、最も不統一なものはこの折線ではないかと気がつきました。株価のグラフにしてもその他人間の作ったものは何かしら統一があるものです。はじめて人間の手による不統一が得られたのではないでしょうか。薄気味悪い気もしますが、大衆が力を合せて——この表現はおかしいかな——やればなんだって作れます。

当り前のことですが気がついたのでお知らせする次第です。

渋谷　デザイン研究所　佐々木吾芳

S週刊クイズ部長殿

至急、重大なことをお知らせします。本夕某所で与党と野党の幹部が秘密に会合したらしい。様子を探ってみると貴社のクイズを取締ることに意見が一致したそうだ。与党としてはアマノジャクが増えると、政権維持が出来なくなるのではないかと心配したらしいし、野党は民衆のせっかくの反抗心がクイズに浪費されてしまうのを気にしているとのことだ。

だが双方共に民主主義機構を根本からくつがえすものだとか、議会制度の危機とか、新らしい無政府主義だとか、立派な表現で一致した。なにしろ政治家とは保守的なものだ。民間に政治家そっちのけの全国的な動きがあるとすぐひがむ。

情ないことだがこれが実情です。民主主義のためと称して民衆を取締るのはどうかと思いますが、私の手に負える問題ではありません。ただ一刻も早くお知らせするのみです。

これより夜行で旅行に出ますが帰京の上詳しく話します。

東京駅にて　黒田

S新聞小川企画部長殿

前略。世の中アマノジャク論が続いていますが、どうも小生の感じでは意識したアマノジャクは不愉快です。

貴社のクイズが禁止になるとか仄聞(そくぶん)します。或(あるい)は良いことかも知れません。潜在意識に残ったアマノジャクだけが、適度に現われて社会にユーモラスな感じを与えるようになるかも知れません。その上この流行のおかげで反対せんがための反対や、評論家たちの商策としてのアマノジャクなどが、魅力を失って古ぼけて見えるようになります。これから新らしい本物の文化が興(おこ)ってくるのです。貴社の企画はその土台となったとも言えます。

がっかりも、憤慨も、得意になることもなく、ひとつの任務をなしとげたとだけ考えて下さい。

城東区　高橋譲

S新聞企画部長殿

拝啓。御無沙汰しました。私をお忘れではないでしょう。アマノジャククイズの提案者です。

なんですか今度禁止になるそうですね。今後はどうなさいます。更によい企画がありますが如何(いかが)ですか。御意向があるのでしたら御連絡下さい。今度はもう少し報酬をいただきたいと思います。

他の新聞社から交渉されていますが、先(ま)ず貴社に御相談してからのつもりでおります。私は昔から貴紙の読者なのですから。

敬具

品川区　伊藤信二

S新聞社企画部長殿

とうとう禁止になるんだってね。政府のやることは全くけしからん。もう皆大人になったのだから興奮はしないだろうが、いささかつまらなくなることだけはたしかだ。ひとつ仲間を集めて秘密組織でもやるか。秘密というのも楽しいものだ。案外そのうち秘密ごっこでも流行するかも知れない。政府でもこれは取締るのに骨だ。しかしただやめるのも癪だからひとつ文句を言って下さい。私の考えた案を教えます。

やい政府のやつら。大衆の楽しみを奪ってどうするんだ。やめろというならやめてもいいが、いったいどうやればお気に召すんだ。人のまねをすればいいのかね。まねをしてやるからその標準人間てやつを示してくれ。そんな奴はいるものか。それとも大衆からの投票ででも選ぶかね。

ざっとこんなものです。

一読者

S週刊クイズ部長殿

とうとう例のクイズも終りになってしまったね。随分くたびれたろう。しばらく休暇でもとって当地に遊びに来ないか。近くに静かな温泉場もあるし、頭を休めるには適当かも知れない。まあいっしょに酒でも飲んで頭休めの議論でもしよう。

政府の方針に反対しても仕方ない。放って置いても終りになったかも知れない。そんな終り方をするより禁止になった方がよっぽど体裁がいい。

この間から応募者が減りつつある事について考えてみたが、大衆がクイズ自体にアマノジャクになって出さなくなったのではないかと考えていた所だ。ものぐさ会を作ろう、よせよめんどくさい、と同じくアマノジャククイズをしよう、いや反対、となるんじゃないかな。アマノジャクは調味料と同じようなものだ。あんまりたくさんになっては食えたものではない。やはりどこかに匙(さじ)加減の限度があるものとみえる。いろいろ面白い裏話もあったろう。ゆっくり聞きたいと思う。是非遊びに来てくれ。

では。

望月生

小川君

――「劇場」4号（1958年8月）

栓

学者がいた。原子核の内部、そのまた内部と物質の窮極をきわめようと努力をつづけていた。

彼はある日気晴しに動物園に行った。サルの檻の前にたたずんでいると、いたずらそうな子供が檻の中にラッキョウを投げ込んだ。

サルは皮をむきつづけた。彼はそれを見て、サルに負けてはいられないぞ、とあたふたと研究室にとって返した。彼の去ったあと、サルは皮をむくのにも飽きたのか、ラッキョウを口に入れ食べた。

彼の研究は完成に近づき、最後の実験が行われた。これで、物質の窮極、つまりもうこれ以上は内側がない、といったものの正体がつかめるのだった。

彼は研究のためには一身を捧げる覚悟だったので、おじけづきはしなかった。もっとも、いかに検討しても爆発を起すという結論が出なかったせいもあった。

彼はスイッチに手をかけた。もしかしたら宇宙がもうひとつ飛び出すかな、ふと、そんな事が頭にうかんだが、いまさらやめる気もしなかった。スイッチは押された。一瞬、彼の目の前の大きな、複雑な装置がなくなった。だが、次には彼自身もなくなった。彼ばかりでなく、世界はその一点に吸い込まれつつあった。

そして、やがて、全宇宙も。

――「宇宙塵」1958年10月号

狐の嫁入り

紀元三〇〇〇年になると再び氷河期となり、食用の肉が欠乏し、過去から取りよせることになった。同じ運ぶなら、食べでのある恐竜がいい。このため、恐竜運搬用のタイムマシンが作られた。これは床にたくさんの穴があいていて、恐竜の小便がすぐさま機外に放出できる装置のついたものである。

——「宇宙塵」１９５９年１月号

タイム・マシン

彼はピストルを携えタイム・マシンにのりこんだ。そばでは彼の母親がさっきから言いつづけていた。

「そんなことはやめてちょうだい。無茶よ。とんでもないことになったら、どうするの。お前はたった一人の子供なのよ」

だが、彼は思いとまる気配を示さなかった。

「思い込んだらやりとげないと気が済まないんです。いいでしょう」

彼は返事を聞こうともせず、タイム・マシンのスイッチを入れた。

過去に遡(さかのぼ)って自分の祖先を殺すとどうなるだろう。彼はある時、この問題を思いつくとたちまちその魅力のとりこになった。そして、全情熱を傾け、タイム・マシンを作り上げ、過去をめざして出発するに至ったのだった。祖先といっても大ぜいある。だが彼は問題を簡単にするため、父を殺すことにした。現在、彼の父はすでに死んでいた。すでに死んでいるのだから、改めて殺してもかまわないだろう。こんな勝手な理屈を彼は目的の実行のためにひねり出し、自分を納得させていた。それに父以外の祖先では人ちがいをする可能性がないこともなかった。

彼は過去についた。物かげから窺(うかが)い、父であることをたしかめ、弾丸をうちこみ、息の絶えるのを見きわめてから、再びタイム・マシンにとって返した。

タイム・マシンは現在にもどり、彼は呆然(ぼうぜん)とした顔つきで降りた。彼の母親は、

「どうだった」

と聞いた。彼はそれに答えようともせず、ぼんやりと立ちつづけていた。思いつめていた計画をやり終えたあとの虚(むな)しさと、たいした変化をもたらさなかったことへの失望とを味わいながら。

母親はその様子を、微笑を浮かべながら眺めていた。彼女がかつて若かった頃、いくら拒んでも、

「思い込んだらやりとげないと気が済まないんです」

と、若々しい情熱を傾けてきたある男性についての思い出をなつかしく味わいながら。

――「宇宙塵」1959年3月号

太ったネズミ

一月の夜のかわいた寒さが町にのしかかっていた。山の手の一角にある、古びてはいても大きな洋館のこのホールは、むっとする暖かさと、かおりのいいタバコの煙とで満ち、医者、貿易業者、料理屋の主人といった、いずれもあまり有名ではないが、金回りのよい、そして、ゴルフとか女とかの普通の遊びでは物足りなくなった連中が集まっていた。

彼らは、明るいシャンデリアの下の、大きなテーブルを、立ったままでとりかこみ、のぞきこんでいた。

「こんどはあの太っちょが勝ちそうだぜ」

「いや、僕はこっちの方に賭ける」

テーブルの上には、石コウで作られた闘牛場の大きな模型が置かれ、その模型の底の広場には、プラスチックのおおいがしてあった。

「さあ、いいですか。はじめますよ」

中年すぎの品のいいこの家の主人の声と共に、金網のカゴが闘牛場の入口に近づけられた。カゴのなかの、さっき注射を打たれて狂暴になったネズミは、勢いよくなかに駆け込んだ。だれかがカルメンの一節を口笛で吹いた。

「どうだ。僕の太っちょは強そうだろう」

と、四十近い証券業者がいったが、

「強そうより、うまそうじゃないか」

と、まぜっかえされ、笑声がわいた。

つづいてもう一匹。

「しっかりやれ」

「そこだ。もう一息」

賭けた者の声援を受けながら、二匹のネズミは闘牛場の広場をかけまわり、たたかいはじめた。かみ合い、皮が破れ、そして、血が流れた。

「よし、勝負あった」

一匹はたおれ、一匹は残った。たおれた方は太っちょの方だった。

「大きいから強いとはいえないな」

と、いう声に、

「太っちょが負けるとは思わなかった」

と、証券業者はくやしがった。

「では、きょうの勝負はこれで終わり」

主人の声に、ほっとため息があがり、みなは計算に従って金のやりとりをはじめた。たちこめたタバコの煙のなかで、しばらくして清算がすむと、

「さあ、用意ができましたよ」

と、主人はいつものようにみなを別室に導いた。机の上にはウイスキーとグラスが並び、油で揚げられた小さな肉片の盛られたサラがあった。みなはイスにかけたり、立ったままで、それをつまみ、グラスをあけた。

「最初はちょっとノドを通らなかったが、このごろは味がわかってきたぜ」

「僕は戦争で南方の島に行ったから、その時なれちゃったよ」

「世の中のことは、なれれば何でも平気になるものさ」

「考えてみれば闘鶏のあとでニワトリを食うのと同じだな。それよりもっと刺激的なことはないだろうか」

酒はつがれ、きょうの勝負についての話もはずんだ。

「レバーを食わせたら強くなるかな」

「セロリはどうだい」

笑い声の切れ目に、一人が証券業者に聞いた。

「きょうに限って君はなぜ食わないんだ」

「頼みの太っちょが負けて、がっかりなのさ」

「おかげでわれわれは、久しぶりに柔らかいのを食べられた。ところで、どうやってあんなに太らせたんだい」

「いや、はじめから太っていた」

「いったいどこで手に入れたんだ」

「この間、いなかに帰った時、知り合いのじいさんに頼んでつかまえてもらったのさ」

「やはり豊作だとネズミまで太るんだな」

酒のかおりがひろがった室（へや）のなかに、再びドッと笑い声が響いた。

「いや、太っちょは畑のネズミじゃあないそうだ」

「では、何を食ってたネズミだというのだい」
「じいさんにいわせると、どういうわけか、太ったネズミは墓場に多いそうだ……」

――「週刊読売」1960年1月3日・10日合併号

見なれぬ家

「どうも道に迷ったようだな」

「野宿はかなわん。もう少し歩いてみよう。木こりの小屋でもあるかもしれぬ」

ウラニウム探しに山に分け入った二人の山師は道を見失い、夜ふけの山のなかで途方にくれた。闇(やみ)のなかで時々うすきみの悪い鳥が鳴いた。彼等の水筒には水は残っていたが、食料はすでにつきていた。

「腹がすいたな」

「まあ、がまんしろ、人間一日ぐらい食わなくても死にはしない。元気を出せ」

二人は黙って歩きつづけた。しばらくして一人が声を高めた。

「見ろ、あれを」

「運がいいぞ」

遠くに家が見えたのだ。闇をすかしてみると灯のともっていないその家は意外に大きかった。

「しかし、どうしてこんな山のなかにあんな家があるのだろう」

「そういえば変だ。木こりの家にしては大きすぎるし、それにモダンすぎる感じもする。だが、そんなことを言っている時ではない。人が住んでいて食料があればいいが、住んでいなくても野宿よりましだ。行ってみよう」

二人は足をひきずりながら、その家に向った。

「ごめん下さい」

くり返して叫びながら何度も戸をたたいたが、返事はなかった。

「人は住んでいないらしい」

「かまわないから入ろう」

戸はひっぱると簡単にあいた。

「懐中電灯で照らしてみろ」

懐中電灯の丸い光はへやのなかを一巡した。山のなかにある家にしては多くの家具が揃(そろ)っていた。

「テレビがある」

「つけてみろ」

だが、その努力は無駄だった。

「だめだ、第一この家には電気がきていない」

「それよりこれを見ろ、なかに機械が入っていないじゃないか」

「機械の入っていないテレビを置いておくとはどういうつもりだ」

「全く、わけがわからん」

二人はテレビをけとばした。

「二階がある。寝台ぐらいあるかもしれぬ」

二人は階段を上ってみた。一人が懐中電灯をさしむけ、一人はこわごわあとからつづいた。だが、まもなく先に立った一人が叫び声をあげた。

「いかん、もどれ」

「どうした。だれかいたのか」

「だれもいない」

「では、なぜもどらなくてはならないのだ」

「行きどまりだ」

階段を上りきったところは行きどまりで、壁があるだけだった。

「なんという家だ。薄気味が悪い」

「しかし、野宿するよりよいだろう。もう少し調べてみるか」

階下にもどった二人は話しあった。ふりまわす懐中電灯のなかにドアがひとつ照らし出された。

「あのへやは何だろう」

「こんどはお前が先に入れ」

ためらったあげく、一人が思い切ってドアを開けた。

「なんだ、風呂場だ」

「風呂とは豪勢だ。せめて顔でも洗うか。石けんの箱もあるじゃないか」

だが、石けんの箱は空だったし、蛇口をひねっても水は出なかった。

「ばかにしてやがる。水が出ない」

床を照らしていた一人はそれに応じた。

「水も出ないはずさ、これをみろ。水のはけ口がないじゃないか」

二人はあわてて風呂場を出た。

「なんでこんな家を作ったのだろう。道楽か、気ちがいか、それとも……」

「それとも何だ」

「それはわからないが、いずれにしろ、こんな家で夜をすごすのはたまったものじゃない。出よう」

「野宿のほうがまだしもよさそうだ」

戸口に二人が向いかけた時、どこからともなく匂いがただよってきた。

「おい、この匂い」

「肉をあげるような匂いだ」

その匂いは二人の空腹を刺激し、立ち去ろうとした足をひきとめた。

「どうするか。だが、気のせいかな」

「おそらくそうだろう。だれも住んでない家で料理の匂いがするはずはない。だが、錯覚とたしかめておかないと野宿するにしても気になって眠れまい。見落したあのドアを開けてみよう」

二人はまだ調べてなかったドアを開けた。

「やっぱり気のせいだ。見ろ、このへやには何もない」

「だが、匂いはたしかにする。よく照らしてみろ」

へやのなかに入った二人は懐中電灯でくまなく照らした。しかし、なかには家具ひとつなかった。

「へんなへやだな。何ひとつない。もう、出よう」

と、一人が言い終らないうちにもう一人は、

「あっ」

と、叫んだ。ドアが閉まっていたのだ。あわててかけよった二人が力を合せて押したり引いたりしたが、ビクともしなかった。

「こんなはずはない」

ついに体当りまでしたが、ドアは開かず、空腹の二人はまもなく力がつきた。

その時、天井裏で声がした。

「なんだ、あの音は」

「声のようだが、聞いたことのない言葉だ」

声は二人にとってばかりでなく、人類にとっても聞いたことのない言葉だった。このような意味の。

「二匹かかったようです」

「穴からよくのぞいてみろ。我々はこの星の代表的な生物の生きた標本が欲しいのだ。ほかの生物だったら逃してやれ」

「大丈夫です。たしかです」

「よし運べ」

へやのなかの疲れはてた二人は、まもなくエレベーターに乗った時の感じをうけた。

――「文藝春秋漫画讀本」1960年8月号

文明の証拠

「危い、逃げろ」

と、博士が叫ぶより早く、私はロケットのハンドルをまわして着陸態勢から脱出へ切りかえた。その未知の星からはミサイルのようなものが打ちあげられたのだ。そして、そのミサイルは我々のロケットに追いついた。

「やられた」

だが、それは爆発するでもなくロケットの外側でグシャリとつぶれた。

「なんだ、今のは」

「あれでも武器なのでしょうか」

その星から遠くはなれた空間で二人は笑いあったが、その効果は徐々にあらわれてきた。

「いかん、早く宇宙服をつけろ」

「全くとんでもない武器を持っている住民ですね」

ロケットの外側にクラゲのようにへばりついた粘液が壁をとかしはじめたのだ。おかげでもよりの基地にたどりつくまでのあいだ、宇宙服をきたきりで、パイプを通じて食料を食べなければならなかった。生命に別条はなかったが、背中のかゆいのを我慢しつづけるのだけはたまったものではなかった。

ほうほうのていで基地にたどりつき、博士はその星の調査票に文明の発達中程度と書き込んだ。

この老博士と私は小さなロケットを駆って多くの星々をめぐっている。私は単なる操縦士だが、博士は生物学にくわしく星々の生物の進化の度合を調査してまわっているのである。だが、このような目にあったのはこれ一回きりで、あとは今まですべて順調だった。文明を持ちはじめた生物はべつに恐れるに足りなかったし、文明がずっと進んだ星では我々を友好的にいたわってくれて調査に協力してくれた。何を見ても敵に見えるというのは、かつての地球の如(ごと)く文明の一時期の状態にすぎないものなのだ。

ロケットの修理を終えて、博士と私は新たな星をめざした。

「おい、この星はどうだろう」

と、博士が言い、

「生物はいそうですが、文明を持っているかどうかは分りません。ひとつおりてみましょう」

と、私は機を下降させた。白い雲のあいまから青い海と赤っぽい陸地が見え、それが少しずつ迫ってきた。

「注意しろ。また変なミサイルをぶつけられてはかなわん」

「この間のような中等度の文明はそうむやみにはないでしょう。だが、十分に気をつけましょう」

地表はさらに迫ってきた。

「着陸完了」

と、私は叫び、博士は、

「やれやれ、こんどからはもう少しそっと着陸させてくれ」

と、腰を叩きながら立ち上った。

「どうでしょう。何か見えますか」

さっそく双眼鏡を手にして窓ごしに外に向けた博士に聞いた。この星の地上は桃色の草原が遠くまで続き、その果てには深紅の林があった。

「まだわからん。だが、よくもこう赤っぽい植物が揃ったものだな」

博士は双眼鏡から目をはなし、指で目をこすりながらフィルターをつけ再び眺めた。

「おっ、いたいた。動いている奴(やつ)がいるぞ。見てみろ」

私は双眼鏡を受取って林のなかをのぞいた。フィルターをはずして見ると、その動きまわっているものはネズミ色をしていた。

カンガルーと蝶(ちょう)

「カンガルーに似ていますね」

「ああ、腹に袋もある。あれで色が茶色で頭がもう少し小さければ地球のカンガルーそっくりだ」

「頭が大きいところを見ると、知能を持っているんでしょうか」

「おそらくそうだろう。だが、文明と呼べるほどのものを持っているかどうかはわからん」

「いったい文明を持っている、持っていないはどこで区別するんですか」

私は日頃の疑問を持ち出した。

「それはまことにむずかしい問題だ。たとえば道具を作りそれを使う、という点で区別することもできる。しかし、必ずしもこればかりで区別できるとも限らない。道具を持たなくても文明を持っている場合もある。結局、長年の経験によってその場その場で見分ける以外にないな」

わかったようなわからないような答だ。

「あの灰色のカンガルーたちはどうでしょう」

「まだわからん。それをこれから観察して調べるわけだ」

私がロケットの点検、修理を、博士が調査の準備などをしているうちに緑色がかった太陽が地平線に沈み、夜となった。

翌朝。ぐっすり眠って起きた二人はプラスチックでおおいをしたジープを動かして草原に乗り出した。この特殊プラスチックは内部からは外を見ることができるが、外から見るとまわりと同じ保護色になってしまう性能を持っているのである。

博士は時々ジープを止めさせ、桃色の草の標本を取った。

「よし、これからあの林に近よる。音をたてるなよ」

私はジープの防音装置を完全にして深紅の林に接近させた。林のなかでは灰色のカンガルーが何匹もはねまわっていて、連中は時おり首をかしげるようなしぐさを見せたが、べつに感づかれたような様子もなかった。

「よし、ここで止めろ」

　博士は連中にカメラを向け、夢中になって生態の撮影をはじめた。だが、私はたちまち退屈してしまった。別の星でいつか見た鉱物性の生物、それらがぶつかり合って本当に火花を散らした喧嘩などにくらべれば、灰色のカンガルーがはねるのは退屈きわまることである。

　連中はとび上って木の実をとり、時々さらに高くはねて蝶のような昆虫をつかまえていた。その様子から見ると木の実が主食であり、蝶が貴重な嗜好品のように思われた。なぜなら、蝶はめったにつかまえられなかったし、たまにつづけて二羽つかまえるとひとつを食べ、もう一羽の羽をもいで大切そうに腹の袋にしまうのだから。

　博士は熱心に夕ぐれまで撮影をつづけた。

「もう引きあげましょうか」

と、たそがれが迫った頃、私が言った。

「まて、あれを写してからだ」

　博士の向けているレンズの先では灰色カンガルーの性行為が行われていた。だが、それとてもかつて訪れた星での、三種の性別があって三匹一組になって行う性行為にくらべればやはり退屈な光景だった。博士はアクビをしようとする私に向って、

「ライトをつけろ。大切なところだ」

と叫び、私は赤外線ランプをつけ不可視光線を送った。そして、博士のうしろからファインダーをのぞき込んだが、べつにとりたてて面白い眺めもなかった。しばらくして博士は撮影を終えた。

「よし、調査終りだ」

言語は不用だ

私たちのロケットは次の日この赤い植物の星を離れた。加速度による苦痛から解放され、私は機械に操縦をまかせて博士のそばに行った。のぞき込んだ用紙の文明の欄には有と書かれてあった。

「いったい、あの星に文明があったのですか」

「あった。立派にあった」

「さっぱり気がつきませんでしたね」

「君がぼんやりしているからさ」

「ははあ、では蝶のような虫をつかまえて腹の袋にしまっていた点ですか」

「いや、食料を保存するからといって、それが文明の存在を示すとは言えない」

「では、どこで文明の存在を認めたのですか」

「よろしい、では撮影してきたフィルムを写して説明してあげよう」

壁のスクリーンに博士はフィルムを映写した。博士が特に熱心に撮影していたそがれの光景だった。

「見ろ、あれがメスでこっちがオスだ」

「はあ、そうですか。オスがメスにモーションをかけているところですね。だが、ちっとも声を立ててないではありませんか」

「言語が使われていなくても文明を持っている場合があるさ」

「文明の存在を見わけるのはずいぶんやっかいなことですね。だが、この星には道具も言語もないが、ちゃんと文明の存在を示すことがあった、というわけですか」

「ああ、そうだ。今にわかるよ」

そのうち灰色カンガルーの性行為も終り、オスは離れて去りかけた。

「なんということもないじゃありませんか」

「これからだ。よく見ていろ」

なるほどフィルムが更に進むとそこに文明の存在を示す光景があらわれてきた。

メスが去りかけたオスの背中を長い尻尾(しっぽ)で叩いた。するとオスは催促されたような様子で腹の袋から何匹かの蝶をつかみ出し、それをメスに渡したのだ。

――「文藝春秋」1960年夏の増刊涼風讀本

食後のまほう

日曜日の夕方、正男君と妹の夏子ちゃんはおじさんの家に遊びにいった。おじさんは会社の仕事でしばらく外国を旅行して、ついこのあいだ帰ってきたばかりなのだ。

「やあ、正男君と夏子ちゃん、よくきてくれたね。ずっと元気だったかい」

と、おじさんはふたりをへやに案内した。

「ええ。ときどきエハガキを送ってくださってありがとう。おじさんは外国をまわってどんなお仕事をしてきたのですか」

と、正男君が聞いた。

「会社で作っているラジオを輸出する仕事なんだよ。このごろは日本でつくられたラジオはどこでもひょうばんがよく、おかげで商売がうまくいってよかったよ」

「どんな国々をまわってきたのですか」

「まずアメリカに行き、それから大西洋をこえてイギリスにわたり、フランス、イタリーなどをまわってきたんだがね」

おじさんはうつしてきた写真を見せながら、エッフェル塔にのぼったときのこと、イタリーの水の都ベニスのけしきなどをおもしろく話し、正男君と夏子ちゃんはむちゅうになって聞いた。

「それからおじさんはどこに行ったの」

と、夏子ちゃんは話をさいそくした。

「ヨーロッパがすんでから、アラビヤに行ったんだ」

「アラビヤってどんなとこなの」

「なにしろ暑いところだよ。さばくばかりで日中は五十度にもなる。しかし、このごろは石油を輸出してお金がはいるので、町などはかなり、りっぱになってきたよ」

ここで正男君が思い出したように言った。

「アラビヤってアラビヤン・ナイトの物語の国でしょう。シンド・バッドの話ならぼくも読みましたよ」

それにつられて夏子ちゃんも言った。

「まほう使いなんかがでてくるお話でしょう。あたしも知ってるわ。おじさんもまほうをおぼえてくればよかったのにねえ」

おじさんはわらいながら答えた。

「ああ、ちゃんとまほうをならってきたよ」

それを聞いてふたりは口をそろえて言った。

「ねえ、おじさん。そのまほうをやってみせてよ」

しかし、このときおばさんがへやにはいってきて言った。

「正男さん、夏子ちゃん。ごはんの用意ができたからいらっしゃい」

「はい。だけど、そのまほうも早く見たいなあ」

と、ふたりはねだったが、おじさんはそれをなだめた。

「おじさんのならってきたのは『食後のまほう』というまほうなんだよ。だから食事をすませてからにしよう」

みんながつくえに向かい食事をはじめたとき、おじさんはおばさんに言った。

「ごはんがすんだら正男君と夏子ちゃんにアラビヤのまほうをやって見せてあげることにしたよ」

「あら、このあいだお客さんにやってみせたまほうね。きょうはうまくできるかしら」

おばさんもおもしろそうにわらった。

「ねえ、おじさん。どんなまほうなの」と正男君は聞いた。

「ことばを使わずにひとにつたえるまほうなんだよ」

「ことばを使わずに考えていることをつたえるなんて、できるもんですか」

「いや、それをやるからまほうなんだ。アラビヤにいたとき、さばくの向こうから大きな月がゆっくりのぼりはじめた夕方に、町を散歩していると、ぐうぜんまほう使いにであった。そこでたのんで教えてもらったというわけだ」

「ほんとかなあ」

話しあっているうちに食事がおわった。

「ごちそうさま。さあ、おじさん。早くやってみせてよ」

ふたりはねだり、おばさんはつくえの上をかたづけておかしを出した。おじさんはタバコをすいながら、まほうのお話をはじめた。

まほうのお話

「では、はじめるかな。いいかい、これからおじさんがうしろを向いているから、そのあいだにきみたちはこのへやのものをなにかひとつ指さしなさい。そのあとでおばさんがへやのなかのものをつぎつぎと指さしていく。さあ。そのなかからおじさんがきみたちの指さしたものを見つけ出すのだよ」

おじさんはかべにむかい、みなに背中を向けた。正男君はそばのつくえをそっと指さした。

「さあ、いいですよ」

その声でおじさんはふりむき、へやのなかを見まわした。

「どれを指さしたのかな」

おばさんはまず、だまって座布団を指さした。

「座布団ではなさそうだ。それには指さしたあとがのこっていないな」おじさんがこう言ったので、夏子ちゃんは、

「指さすとあとがつくの？」

と、ふしぎそうに聞いたが、正男君は、

「そんなはずはないよ」

と、言いながら熱心に見つめた。おばさんは灰皿、床の間の柱などをつぎつぎと指さしたが、おじさんは首をふった。

「どうもちがうようだ」

おばさんはこんどはおかしを指さした。

「おかしでもないようだな」

そして、おばさんはつくえを指さした。正男君と夏子ちゃんは、「ほんとにあたるのかな」と息をのんで答えをまった。

「そうだ。そのつくえだろう」

おじさんがほんとうにあてたので、夏子ちゃんはおどろいてさけんだ。

「ほんとうにあてちゃったわ。見てなかったのにふしぎねえ」

だが、正男君は首をかしげながら言った。

「だけど、なんだかタネがありそうですね。何番めに言う品物がそうだ、と打ちあわせてあったのかもしれないし、それともおばさんがぼくたちに知れないように合図をしたのかな」

正男君のこう言うのを聞いておじさんが言った。

「それじゃあ、こんどはこうしよう。おばさんにとなりのへやであてもらうことにしよう。そして、おじさんがつぎつぎと言う品物のなかからきみたちが考えたものをあててもらおう。考える物はこのへやにない物でもいいよ」

おばさんはとなりのへやに行き、そこから声をかけた。

「さあ、正男さん。いいですよ」

そこで、こんどは夏子ちゃんがおじさんの手のひらに指でネコと書いた。それにつ

づいて正男君はテレビと書いた。夏子ちゃんは、

「あたし、おばさんがのぞかないようにみはっているわ」

と、となりのへやにかけていった。おじさんはいろいろな品物の名をつぎつぎとあげていった。

「ハサミ、とけい、ロケット、海、本、月」

おばさんはそのたびにとなりのへやから返事をした。

「ちがいます」

おじさんはさらにつづけた。

「チューリップ、アリ、茶わん、ピストル、マッチ、パン、ネコ」

おじさんがネコと言ったとき、おばさんは、

「そのネコでしょう」とちゃんとあててしまったのだ。

「あたっちゃった。だけどもうひとつあるんですよ」

と、正男君が言い、おじさんはまた品物の名前をあげはじめた。

「ノコギリ、電球、お金、バナナ、テレビ」

だが、やはりこんどもあたった。

「テレビでしょう」夏子ちゃんがへやにもどってきた。

「おばさんはのぞかないであてたのよ。よくあたるわねえ」

ふたりはまったく感心してしまった。となりのへやでは合図をしあうことはできなかったはずだし、何番めに言う品物という打ちあわせもしなかったようだ。正男君は「ほんとにアラビヤのまほうだな」と言った。だが、おじさんはこう答えた。

「できるとも、タネはかんたんなことだよ。ちょっと自分で考えてごらん」

「なにかで合図をするんですか」「ああ、品物をつぎつぎとあげているときに合図をするんだ。そのヒントは食後のまほうという名前にかくされているよ」

食後のまほう?

「それはできるよ。だが、なぜ食後のまほうと言うんだろうね」

「食後、食後、食べたあと……」正男君はいっしょうけんめいに考えた。

「食べたあと。もしかするとこうじゃないかな。おじさん、いまテレビと言うひとつ前にはどんな物を言いましたか」

「バナナだよ。わかりかけてきたようだね」

「それではネコと言う前はなんでしたっけ」

「パンだったな」

「やっぱりそうか。あてる物のひとつ前に食べ物を言うんですね。さっきおばさんがつくえを指さす前にはおかしを指さしてた。食べられる物のつぎにでてくる物がそうなんだね、おじさん、そうでしょう」

「おやおや、正男君は頭がいいからアラビヤのまほうもとうとうバレてしまったね」

おじさんは頭をかいて笑った。

夏子ちゃんは、「タネを聞いてみればかんたんだけど、ちっとも気がつかなかったわ」

と言った。

「ぼくもはじめはほんとうにふしぎだったよ。帰ったらふたりでやっておとうさんとおかあさんをおどろかしてやろうよ」

ふたりはまほうをおぼえてすっかりうれしくなってしまった。


——「考える子ども 四年生」1960年9月号

＊児童向け雑誌掲載時にひらがなと漢字が混在していた箇所など、読みやすさを考慮して適宜漢字に直しました。以下、児童向け雑誌は同様にしました。

黒幕

「あーあ。退屈だ」

私は自動電気安楽椅子（いす）に身をまかせて、何度目かのあくびをした。そばの机の上には目覚まし用の霧を吹きだす銀色の小さな装置があるが、それに手をのばす気もしなかった。なぜなら、頭をはっきりさせても、する仕事がないのだ。

ちかごろは世の中のすべてが順調なせいか私の研究所にさっぱり依頼者がこなくなった。どこかで何か事件でもおこり、ごっそりと報酬が入ってこないと困る。金が人間の最高の必需品であることは、どんなに科学が進んでも一向に変らない。

こう、ぼんやり考えていると、とつぜん部屋のすみでベルが鳴った。私と同じに、うつらうつらと金の夢でも見ていたにちがいない助手は、とび上って受話器をとった。彼は忠実で愚直であるという、助手として必要な二つの条件をそなえていて、私にはなくてはならぬ存在だ。彼はにっこり笑いかけながら、私に言った。

「先生、原子力発電所からお電話です」

私はシューシュー音を立てて、霧を深く吸いこんだ。助手がにっこり笑うのも無理もない。金払いのいいので有名な原子力発電所だ。張切らざるをえない。

そこでは、核融合反応という操作で、水素原子を厖大（ぼうだい）なエネルギーに変え、たくさんの電力を作り出している。いい所で事件がおこってくれた。目覚ましの薬もきいてきて、頭もしだいにはっきりしてきた。

「だが、何の用だ」

「何か厄介な事件がおこったようです」

助手がこう言いながら投げてよこした、軟かいプラスチック製の受話器からは、事件の重大さを予告するようなあわただしい声がとび出してきた。

「大変です。先生。すべての装置がピタリと止ってしまいました。このままほってはおけません。すぐにおいで願いたいのですが」

だが、私はわざと落着いた声をよそおって答えた。

「ははあ、故障ですな。出かけてもよろしいが、その前に一応、そちらでよく調べてごらんになったのですか」

「はい、今まで調べた所では、発電部門にはどうも異状はないようです」

「そうか。では、問題は管理部門だな」

「はあ、お察しの通りでございます」

もっとも、発電所にはこの二つの部門しかないのだから、察しなくてもわかることだ。

「ところで、どんなぐあいだ」

「発電装置の一切を管理し、すべてを自動的に運営している大きな電子頭脳が、ふいに止ってしまいました。そうなると、発電が全部ストップです。だが、あの複雑で巨大な電子頭脳は、どうも私どもの手にあまりますので、ぜひ、先生においでいただいて、お調べ願わなければなりません」

「わかりました。すぐに行きましょう」

私は助手にエア・カーを運転させて発電所にむかった。

科学が進むにつれ、人びとの仕事は分業化してきた。専門外の知識は一切不要である。私の研究所ではそれをひきうけているのである。つまり、このように各方面でおこる科学上の難問題をひきうけ、綜合的(そうごう)に検討し、それを解決して報酬をもらうのが仕事なのだ。

「先生。よくおいで下さいました。こちらです。その問題の電子頭脳は」

と、私がつくやいなや、発電所の係員はさっそく案内してくれた。発電所の管理をつかさどっているその電子頭脳は、ちょっとした個人の住宅ぐらいはある大きさだ。

いつもなら、たくさんのランプをピカピカと忙しげに明滅させたり、メーターの針をゆらせたり、スクリーンの上に曲線を描きだしたりしているのが、今は光も音も発していない。

「なるほど、こんな風に急に静まりかえられては、ちょっと薄気味悪いものだろう。君たちが私を呼んだのも無理はない」

「なぜ、急に狂ったのでしょう」

「だが、電子頭脳というものは、そうむやみに狂ったり、止ったりするものではない。機械は正直きわまるものだ。それにくらべて、人間ほど不正直なものはない。電子頭脳が管理するようになってから、すべては順調だったではないか」

「はい」

「おそらく、待遇に不満を持つ社員の誰かが手を加えて狂わせたのだろう。私はまず、それを調べたい。社員名簿を見せていただこうか」

だが、係員は名簿の一人一人について説明し、そのような事をする程の人間はいそうもない、と力説した。それはすべてもっともであった。自動化されているので社員は少なく、名簿の検討はまもなく終った。

「なるほど、こう説明されてみると、容疑者は内部の者ではなさそうだ。それなら、外部から忍びこんだ者にちがいない。発電所が止って利益をえる者の心当りはないか」

「先生のお考えはごもっともですが、門には守衛がいますし、あの塀をのりこえるのはとても人間わざではできません」

と、係員が指さした発電所のまわりの塀は二十メートルもある高さなので、簡単にのり越えられそうもなかった。私は、外部からの侵入という考えを一応保留し、論理を進めた。

「それもそうだ。そうなると、この電子頭脳自体の故障ということになる。では、調査にとりかかるとしよう」

私と助手はいよいよ巨大な電子頭脳のなかにもぐりこみ、調べはじめた。無数の真空管やトランジスター。各種のメーター。それにクモの巣を集めてこねまわしたような複雑な電線。全く見ただけでうんざりする。莫大(ばくだい)な報酬のことでも考えながらでなくては、とてもできる仕事ではない。

「どうだ。何か異状はあったか」

私は時どき助手に声をかけた。

「今までのところ、何もありません」

どうも主要部分には故障はなさそうだった。しかし、故障がないのに動きが止ると は信じられないことである。と言って、この電子頭脳から手ぶらで出ることは、私の 体面上及び商売上とてもできないことだ。私は少し焦り(あせ)はじめ、手で髪の毛をかきむ しった。

その時、助手がそっと近づいてきて、ささやいた。

「先生。あそこに怪しい奴(やつ)がひそんでいます」

「どこだ」

助手が指さす暗がりに、一人の男がうずくまっているのが認められた。

「よし、つかまえろ。注意してやれ」

助手は静かにしのびより、すばやく飛びかかって手錠をかけた。彼はこのような仕 事にはなれている。そして、私たちは意気揚々とその怪しい人物をひきずり出した。

「ほらみろ。やっぱり人間のしわざだった」

私は、電子頭脳のメイン・スイッチを入れるように命じた。軽いうなりの音が立ち はじめ、電子頭脳は本来の働きをとりもどし、発電所全体は再び常態に復した。

「先生。おかげ様でやっともと通りになりました」

「だが、この男は何者だ」

「どうも見たことのない者ですな」

係員は念のために名簿の写真と照合してみたが、該当する者はなかった。こうなったら本人に聞かなければならない。

「おい、お前は誰だ。なんで電子頭脳などにもぐりこんで装置を止め、妨害したのだ」

だが、彼はふてくされたままで、表情も変えず、もちろん答えはしなかった。

「どうも簡単には口を割りそうにありません。こいつを研究所につれて帰り、ゆっくり問いただしてみることにしましょう」

「では先生、よろしくお調べ願います」

「いいですとも。それが私の研究所の仕事です。いずれ、くわしい報告書をお送りしましょう。報酬の半額はその時で結構です。だが、もう半分は、今いただくことにしましょうかな」

私たちは報酬の半額を受け取り、その男をエア・カーに押しこみ、研究所にひきあげてきた。警察と協力して調べれば早いだろうが、それでは報酬を値切られるおそれがある。なるべくなら私の手で解決したいものだ。さて、どうして口を割らせたものか。

「さあ、誰から頼まれたか、白状したらどうだ」

まず、最も原始的な方法をやってみた。助手に命じてムチでひっぱたかせたのだ。だが奴はあいかわらず黙ったままだった。

「うむ。しぶとい奴だ。よし、こいつが何かしゃべるまで、手錠をかけたまま地下室にほうりこんでおけ」

私は助手にこう命じた。真理の探究には、ある場合には残酷とも思われるほどの冷静な行為が必要なのは当り前のことだ。

こうして三日たった。

「もうそろそろ、ねをあげてもいい頃だ。おい、様子を見てこい」

だが、助手は目をパチパチさせながら報告した。

「驚きましたね。奴は平然としています」

「そうか。では、つれてこい。少しは痛い目にあわせなければならんらしい」

ひっぱり出された男に向かって、私はやさしい声で言いきかせた。

「まあ、君、そう強情をはってもつまらんじゃないか。私は君にあんなことを命じた奴が知りたいだけなんだ。それとも発電所に何かうらみでもあるのかね。おい、黙っていると損するのは君なんだよ。あんまり黙ったままだと、私だってやりたくないことをしなくてはならないんだよ」

　こう言いながら、鋭いナイフを振りまわして見せた。だが、奴には信念があるのか、それとも白痴なのか、顔色ひとつ変えなかった。こうなっては、行きがかり上、ナイフを使わざるをえない。といっても、私もヒューマニスト。命に別条なさそうな部分、尻（しり）をねらってナイフをつき刺した。

「あっ」

　だが、この声を立てたのは奴ではなく、私だった。どうも手ごたえが変なのだ。そこでもう一刺し。こんどはナイフの刃がこぼれた。

「おかしいぞ。おい、こうなったらこの男の皮をはいでしまおう」

「いいんですか。そんなひどい事をして」

　助手はびくびくして聞き返したが、私は声をはげました。

「かまわん。命令だ。早くとりかかれ」

　そして、仕事が進むにつれ、男の姿は軽合金製のロボットと変った。

「どうだ、正体がわかったろう」

「驚きましたね、先生。ロボットだったとは。だから、あの高い塀から飛び下りても平気だったし、ひっぱたかれても何ともなかったのですね」

助手はすっかり感心していた。もう、これで、すべての謎がとけたつもりになったらしい。

「おい、そう喜んではいかん。ロボットにこんなことをやらせた黒幕をつきとめなければならぬ」

「そうですね」

「さあ、これを分解して調べよう。何かの手がかりがつかめるかもしれない」

私たちはスパナとネジ廻しを使い、ロボットの覆いを取り去り、内部の機械をすみずみまで点検した。だが、単純な動きしかできない、ごくありふれたロボットで、特に複雑な装置はなかった。

「いや、全くふしぎなことだ。こんな簡単なロボットが電子頭脳に手を加えるとは」

「では、誰かが遠くから電波で操っていたのではないでしょうか」

「ところが、その受信装置がついていない。いったい、こんなことが起こりうるのだろうか」

謎はさらに深まり、私は深々と腕を組んだ。

助手はそれを見て、自分も何かしないと悪いとでも思ったのか、いま外したロボットの覆いを足でけとばした。

「あっ」

と助手は大声をあげ、

「先生、あれを見て下さい」

と、指さした。私はロボットの胴からとり外した覆いの内側に、えたいのしれぬものを見つけた。

それを恐る恐るひっぱり出してみると、なんと身長二十センチばかりの灰色をしたこびとではないか。

「いったい何でしょう」

「わからん。調べてみないことには」

と、私はもっともらしく答えたが、すでにこの時には、私の頭では見事に推理が展開していた。これはどこかの星からやってきた宇宙人にちがいない。その地球侵略の第一段階として、発電所の停止をたくらんだにちがいない。

もはや一刻の猶予(ゆうよ)も許されない。私は研究所の資料を総動員し、その宇宙人と会話をすることに成功した。だが、その答えは、私の推理と大きな開きをみせた。答えはこんなぐあいだった。

「侵略なんて考えてもいませんよ。第一、ここは侵略されるほどの価値のある星ではありませんな。私は宇宙を見物のために旅行していただけですが、不幸にも事故をおこし、ついにこの星の海に墜落しました。危うく脱出して陸に泳ぎついたのですが、なぜか、その時から、自分の意志に反した行動をとるようになりました。ロボットにもぐり込み、それに高級マネキン人形用のプラスチックの皮をかぶせ、発電所にとび込む。なんでこんなことをしたのかわかりません。おそらく、この空気が汚れていて、私の頭を狂わせてしまったのでしょう。ああ、こんな所で死ぬことになろうとは」

と、どうも敵意はなさそうだった。謎は一段と深まった。だが、謎は解かれなければならぬ。

私はこびと宇宙人が嘘をついているのかもしれぬと思い、メスをつきつけておどかしてみた。だが、答えは同じだった。何度もおどかしているうちに、ついにメスがすべってつきささり、死んでしまった。だが、人間ではないのだし、狂っていたらしいから、問題は何も残らない。

死んだからには、徹底的に解剖してみるにかぎる。私はその各臓器を顕微鏡にかけて観察してみた。

生物学的には興味深い発見もあったが、発電所を止めるに至った原因となるような不審な点は見出せなかった。

「ああ、どうもわからん。報酬がもらえぬのは残念だが、もうさじを投げるほかはない。だが、この宇宙人は何を考えていたのだろう」

助手は苦心して私をなぐさめてくれた。

「先生、どうでしょう。この脳の部分を拡大してみたら、何を考えていたかわかるかもしれません」

彼は頭は解剖して拡大すれば、何を考えていたかが判明するとでも考えたらしい。

「せっかくのお前の提案だ。あまり期待はできまいが、やってみることにしよう」

だが、脳細胞を電子顕微鏡にかけて拡大してみると、見なれない物を見出すことができた。

「何だ、これは」

それは脳以外には見出せないものであり、さらに調べてみるとビールスらしいことがわかった。

「うむ。ビールスだ。奴が地球にきてから、急に頭がおかしくなった、と言っていたが、さてはこのビールスに脳をおかされていたのだな」

「しかし、妙な病状を示したビールスですね」

　全くふしぎなビールスであった。だが、宇宙人の話の通りとすれば、地球で発生したビールスだろう。なんでこのようなビールスが発生したのだろうか。

　謎は深まるばかりだった。推理は、完全に壁につき当ったように思われた。だが、私がやけ気味に思いついたことが、この壁を崩すきっかけとなったのである。

「もうしようがない。そのビールスを分析してくれ、それでわからなければ終りだ」

　まもなく、その分析の結果がでた。そして、その結果を見た時に、私ははじめて、この謎の大事件の黒幕を知ることができた。そのビールスは異常に多い水素からできていたのである。

「先生。どういうことなのです」

「つまりこうだ。原子力発電所では水素原子が次々とエネルギーに変えられてゆく。水素原子たちにとっては耐えられぬことだ。といっても、直接にはそれを拒否する手段がない。そこで、彼等は団結して新しいビールスを作った。だが、惜しいことに人間にはきかなかったのだ。しかし、彼等にとって幸運なことには、そこに偶然まぎれこんだ宇宙人にとっつくことができたわけだ。あとは、わかるだろう」

「さすがは先生だ。水素原子の陰謀を未然に鎮圧したわけですね」

　その通り。私でなければこれだけの解決はできなかったろう。さあ、報告書にまとめて原子力発電所に送るとしよう。何はともあれ報酬の残額を一刻も早く手に入れるのが最大の問題だ。

しかし、事件はこれで終りではないだろう。水素原子どもは、いずれ新しいビールスとなって、こんどは直接に人間にとっつこうとするにちがいない。

その時はその時だ。すべてをあきらめる覚悟をしておこう。

――「宇宙塵」1960年12月号↓「宝石」1961年6月号

『樹立社大活字の〈杜〉 星新一 ショートショート遊園地』3収録

犯人はだれ？

第一話　こらしめられた王様

（事件）悪い王様をこらしめたのは、はたしてだれ！　事件のひみつをとくかぎは、みんなの手の中にあります。それは、固体のある物はあたためると、液状になるということ。さあ、話をおってみましょう。

むかし、ある所に悪い王様があった。ふつうではとても王様になれる人ではなかったが、りっぱだった今までの王様をころしてしまったのである。人びとは心の中では、

「あんな王様はきらいだ」

と、思っていたが、そんなことを口に出したら、王様の家来たちにつかまってしま

うので、だまっていた。

王様はそれをいいことに、税金をますます高くし、毎日ぜいたくなくらしをしていばっていた。

そんな時、ひとりの旅人が城にたずねて来て言った。

「わたしは彫刻家です。いかがでしょう。王様の像を作らせてくださいませんか。威厳のある像を広場に置けば人びとは毎日それをながめてますます王様をうやまうでしょう」

王様は喜んだ。

「よしそれはいい考えだ。金の心配はせずに、うんとりっぱなものを作ってくれ」

「うでによりをかけて作りましょう。しかしでき上がるまでだれものぞかないようにしてください」

それから、彫刻家はひとへやにこもって、像を作りはじめ、なん日かたつとでき上がった。

その像は白っぽい石で作られ、すばらしいできだった。

「よし、ほうびはいくらほしい」

しかし彫刻家は言った。

「それより、人びとを集めておいわいをしたらどうでしょう。王様の力が、ますます高まりますよ」

喜んだ王様は、さっそく像を広場に運ばせて、お祭りをすることにした。たくさんのかがり火が像の回りに置かれ、その光は、像を夜空にあかあかと照し出した。

王様はたいへんきげんがよかった。

「大いに飲んでくれ。この像はわしのえらさを後の世までつたえるだろう」

家来たちも、おおいに酒を飲み、その後ろの方におとなしく集まっている村人たちにも、少しばかり酒がくばられた。

そして、夜がふけたころ、

「あっ、あれを見ろ。どうしたことだ」

ひとりが気がついて、像を指さし、大声でさけんだ。像の顔がいつのまにか今の王様の顔でなく、今の王様にころされた前の王様の顔に変わっていたのだ。おいわいは大さわぎになった。

「神様のいかりだ」

人びとはいっせいにさけんだ。悪い王様はあまりのふしぎに、おどろき、そのおどろきとおそれのために心臓が止まり、死んでしまった。

「やはり神様は悪い人をこらしめてくれる」

と村人たちは喜び合った。そして、

「あの彫刻家は神様の使いだったのかな」

と、さがしはじめたが、どこに行ってしまったか、もうだれも見つけることはできなかった。


(解決)　神様の使いって、ほんとにいるのでしょうか。それとも、みなさんは、事件のひみつがわかりましたか。

それでは、あの彫刻家のあとをつけてみましょう。


彫刻家は旅を終わって、家に帰り着いた。

そしておみやげをねだるこどもに、旅のとちゅうで、悪い王様をこらしめた話をしてやった。

こどもはおもしろがって聞いていたが、

「どうして、いつのまに、像の顔を変えてしまうことができたの」

と言った。

「それは、まず前の王様の顔を石にきざみ、その上にろうをかぶせて悪い王様の顔を作ったのさ。そのろうがたくさんのかがり火のためにとけて流れたから、その下から前の王様の顔があらわれたのさ」

こどもは、彫刻家といっしょに大わらいした。

第二話　キンギョが見ていた

（事件）　キンギョだけが犯人を見ています。だけどどうしてそれを聞き出すか。そこはみなさんの理科の力で……。

ヒントは、水は時がたつと蒸発する……これです。

大山さんが会社の用事で一週間、旅行に出かけて、アパートに帰ってみると、へやがすっかりあらされていた。

「やあ、どろぼうにはいられたな」

調べてみると、カメラと双眼鏡がなくなっていた。大山さんはさっそく警察に電話をかけた。

　しばらくすると、刑事さんがやって来た。

「どろぼうにはいられたそうですね」

「ええ、一週間るすにしていたすきにです」

「窓からはいったようですね」

　刑事さんは窓に近よった。どろぼうは窓ガラスをこわし、そこから手を入れてかぎをはずし、しのびこんだらしかった。

「窓からにちがいありません。そこにあるキンギョ鉢を見てください。上の半分がこわれているでしょう。これはどろぼうが出て行く時に何かをぶつけてこわしたのでしょう」

　大山さんはキンギョ鉢を指さした。刑事さんはそのへんを調べたが、何も手がかりになるようなものはなかった。そこで刑事さんは回りに住んでいる人たちに、あやしい人を見かけなかったかを聞いて回った。

「そういえば、きのう帽子をかぶった見なれない男がうろついていたようですよ」

　と、答える人もあったし、

「三日前に大山さんのへやをのぞきこんでいた背の低い男がいましたが、きっとどろぼうはそいつですよ」

と答えた者もあった。しかし、

「大山さんが旅行に出たすぐあと、太った若い男がかけて行くのを見ましたが、あいつがあやしいな」

と言う人もあった。だが、みな窓をしめていたので、ガラスのわれる音には気がつかなかったようだ。

刑事さんは、大山さんのへやにもどって来て、うでを組んで言った。

「あやしい者の目当てが、三人ばかりつきましたが、どれだかわからないのでこまりましたよ。どろぼうが、いつはいったかわからないので、その三人のうち、どれをさがしたらいいのか決まらないのです」

「どろぼうの残していったあとが、こわれたキンギョ鉢だけでは、どうにもなりませんね」

大山さんはこう言いながらキンギョ鉢をのぞきこんだ。水の少なくなった底の方で、キンギョがパクパクやっていた。

「かわいそうに、キンギョをうつしてやりましょう」

大山さんはせん面器を持って来てキンギョ鉢からうつそうとした。

その時、刑事さんはうで組みをほどいて言った。

「ちょっと待ってください。そのキンギョが知っているはずですよ」

「キンギョが知っていても、それを聞くわけにはいきませんよ」

大山さんは冗談だと思ってわらった。

だが、刑事さんは言った。

「いや、聞いてみます。このままキンギョ鉢をかりて行きますよ」


(解決) 刑事さんは、本気なのでしょうか。キンギョに聞くなどと言っています。キンギョでなく、鉢の水にひみつがあるのではないでしょうか。さてそのひみつは?


「どうやって、キンギョに聞いたんです」

いく日かして、キンギョ鉢を返しに来た刑事さんに、大山さんが待っていたとばかりに聞いた。

「キンギョ鉢には、水がいっぱいあったわけですね。それが上のほうがかけて水がここまで減ってしまった。しかしあの日、ふと見ると、水はもっと減っていました」

と、刑事さんは説明した。

「それはそうです。水は少しずつ蒸発していますからね」

と大山さんは言った。

「そこですよ。少しずつ蒸発して、水が今の所まで減るのに、どれくらいかかるかを調べたのです。もちろん、それだけでは決められませんが、どろぼうがはいったおよその日の見当をつけたのです。日の見当と、あやしい者を結んで考えたのですよ」

こうして、キンギョと警察の協力によって、大山さんのとられた物は、やがてぶじにもどったのだった。

第三話　消えた発明

（事件）犯人がうばった箱の中身はいつのまにかからっぽになっていた。
固体のあるものは、時がたつと気体になるということを頭において、考えましょう。

矢野博士の研究所では、じょうぶなプラスチックの研究が行なわれていた。それは、きょう、完成することになっていた。

博士はそれをひみつにしていたがその発明をぬすみ外国へ売り飛ばそうとする一味があった。

その手先となっていた三吉（さんきち）という男は研究所の建物のものかげにひそんで、ようすをうかがっていた。

「きょうあたり完成するという話だ。きっとうばってやるぞ」

と、暗やみの中で、博士の出て来るのを待っていた。すると何も知らない博士が箱をかかえて急ぎ足で出て来た。

「あの箱にはいっているにちがいない」

三吉は、博士に近よって箱をうばい取った。

「待て、どろぼう」

と、博士はさけんだが、三吉の足のほうが早く、たちまち博士を引きはなした。

そして、少しはなれた所に置いておいた自動車に乗り、箱を後ろの座席に置いて、エンジンをかけた。

「うまくうばい取ったぞ。もうこっちのものだ。この自動車も見られていない。これでひともうけできたわけだ」

三吉はとくいになって、自動車を走らせているうちに、少し寒気がして来た。

「なんだか寒いぞ。さっき暗がりで、かくれていた時にかぜでもひいたかな」

こうひとり言を言いながら、自動車の窓を見回したが、どれもしまっていた。三吉がなおも自動車を進めていると少し息苦しくなって来た。

「窓をあけるかな。だが寒気がするのだからあけないほうがいいだろう」

しかし、そのうち、こんどは眠気がおそって来た。

「どうも眠い。この間から博士のようすをうかがって眠るひまがなかったからな。早くあの箱を親分にわたしてゆっくり眠るとしよう」

三吉は一味のかくれがに自動車を急がせた。だが、眠気がますますひどくなり、ついにハンドルを切りそこねて、電柱にぶつかってしまった。自動車はこわれたが、三吉はけがをしなかった。

「とうとうぶつけてしまった。だが、この箱さえあればだいじょうぶだ。ここからなら歩いてもたいしたことはない」

三吉は後ろの座席に置いた箱を手に取った。だが、なぜか軽かった。

「へんだ。さっきは重かったのに」

あわてて三吉は箱をあけてみた。しかし、中はからっぽだった。あまりのふしぎさに、三吉はぼんやりして、道ばたに腰をおろし、考えこんでしまった。

その時、事故を見つけてパトロールカーが止まった。

近よって来た、警官に三吉は言った。

「なぜだか、寒気がして、それから眠くなって、電柱にぶつけたのです」

「それなら、矢野博士から箱をぬすんだやつだな」

三吉はわけがわからないうちにつかまってしまった。

「いったい何をぬすんだんです。箱には、何もありませんぜ」

と、三吉が言うのに、警官は次のように答えた。


(解決)三吉はどうして、急に気分が悪くなったのでしょう。

それに、もう一つ、箱の中身はどこへ消えたのでしょうか。

警官の答えを読む前にわかったら、みなさんは博士ですよ。


「おまえがぬすんだのは、博士が実験に使うドライアイスだ。だから、時間がたつと炭酸ガスというガスになってなくなるわけだ」

「寒気がしたのもそのせいだな」

「そうだ、それにしめ切った所でたくさんガスがふえると、息苦しくなり、次に眠くなる。博士は、箱をうばわれてから、自動車の音を聞いたので、警察に電話して事故をおこした自動車に注意してくれ、と言って来たのだ。だが、こう早くつかまえることができるとは思わなかったよ」警官は三吉をパトカーで連行した。そして三吉の白状で、一味は全部つかまってしまったのである。

——「四年の学習」1960年12月号
＊「はん人はだれ？」改題

未来都市

二千年のある町

大きなアパートのビルが、いくつもきちんと立ちならんでいる。ここは二千年の住宅地なのだ。このビルの三階に小学生の明子と家族が住んでいる。夕ごはんがすんだあと、明子は窓をあけて外をながめていた。

「明子、寒くないかい。窓をしめたら」

と、おかあさんが言った。

「ええ。だけど、もう少しながめてからにするわ」

立ちならぶビルにはどれも夜光塗料がぬられているので、静かに青白く光って美しく見えた。しかし、もっと美しいのは、やはりまっ黒な空にまたたいているかぎりない星ぼしだ。そのなかには赤く光っている火星もあった。

「おとうさんはいつ帰っていらっしゃるの」

「あさってのお昼すぎよ」

と、おかあさんはやさしく答えてくれた。明子のおとうさんは、第五次の火星調査隊に加わって火星に行き、今は、地球へ向かって帰る途中なのだ。明子は、おとうさんの乗っているロケットが見えたらいいな、と思ったが、それはむりだった。あのへんかしら、このへんかしら、と夜空のところどころに想像してみるだけだった。ロケット空港のあるあたりの遠くの空には何本ものサーチライトが夜空に向かってのびていた。

その時、ポンポンとへやのなかで明るい音がひびいていた。電話がかかってきた音だ。

「もしもし……ああ、そうですか。では、ちょっと待ってくださいね」

電話に出たおかあさんは、こう言ってから明子に声をかけた。

「明子、おとうさんから電話だよ。さあ、声を大きくしてお話しましょうね」

明子は窓のそばからはなれ、おかあさんのそばに行った。おかあさんは一緒に話せるように電話をスピーカーに切りかえて言った。

「さあ、どうぞ」

まもなくおとうさんの声が聞こえてきた。

「おとうさんだよ。みんな元気かい。ロケットの窓から地球がだんだん大きく見えてきたよ。あさっては会えるね」

「ずっと元気よ。何か火星で発見できて」

と、明子が聞いたが、おとうさんの返事は五秒ぐらいたってから聞こえてきた。

「ああ、むかしは運河といっていたが、星の表面のわれめの底で植物らしい物を見つけたよ。すばらしい発見だったよ」

明子に続いて、おかあさんが二こと、三こと話していたが、長い話はできなかった。

「電波をほかの通信にも使わなくてはならないから、話はこれくらいにしよう。また、あした電話をかけるよ。さよなら」

と、おとうさんからの電話は終わった。

「ずいぶんよく聞こえるわね」

「人工衛星が電波を中継して強くしているからなのよ。だから、となりのうちと話しているように聞こえるのよ」

「だけど、おとうさんが返事をするまで、どうして時間がかかるの」

「ロケットから電波がとどくまで時間がかかるのよ。電波はとても早いけど、遠いロケットまでの往復には時間がかかるのね」

と、おかあさんは説明してくれた。

「あさっては空港までおむかえに行きましょうね」

それから、明子は、「おやすみ」のあいさつをして、寝床にはいった。かべにとりつけられている電気オルゴールが明子の眠るまで、やさしく子守歌を鳴らし続けた。

電話で診察

次の朝、プラスチックの窓から朝日が明るくさしこんでいい天気だった。

「おかあさん、おはようございます。おとうさんがお帰りになるのはいよいよあすね」

と、明子は、元気な声を出したが、おかあさんはあまり元気がなかった。

「なんだか、からだがだるいのよ。どうしたのかしら」

と、ほんとうにだるそうだ。

「お医者さんにみていただいたら」

「そうしましょう」

と、おかあさんはお医者さんに電話をかけた。お医者さんはこう答えた。

「では、おたくにある診察器を電話器につないで、言うとおりに当ててください。まず手首に当ててください。脈をみましょう」

おかあさんは、診察器を電話器につなぎ、手首に当てた。こうすれば、病院に行かなくても診察できるのである。

「では胸に当ててください。心臓をみましょう」

次に熱もはかった。

明子は、心配そうに見つめていた。

「どうしたのでしょう」

と、言うおかあさんの問に、お医者さんは、

「あまり見たことのない病気です。くわしく調べる必要があります。すぐむかえの車をまわしますから、それでこちらの病院においでください」

明子は、ますます心配になった。

「病院に行くの？」

「大丈夫よ。すぐよくなるでしょう」

「あたし、きょうは学校へ行くのをやめてうちにいようかしら」

「そうね。おとうさんから電話がかかってくるかもしれないし」

まもなく病院からむかえの乗り物が来た。空気を地面に勢いよくふき出して、静かにゆれることなく進むその乗り物は、おかあさんを乗せて行ってしまった。

テレビで勉強

おかあさんはほんとうにすぐよくなるのかしら。いっしょにおとうさんをおむかえに行けそうにないけど、しかたないわ。おかあさんがいないのはさびしいけど、あすはおとうさんが帰っていらっしゃるのだし、がまんするわ。明子は、いろいろと考えた。

「あら、朝ごはんを食べなくては」

明子は、自動料理機の前に行った。そして、〝ミルク〟と書いてあるボタンを押し、次に〝あたたかい〟と書いてあるボタンを押した。また〝パン〟と〝焼く〟と〝バター〟のボタンを次つぎに押した。一分ほどして機械のオルゴールが鳴りやむと、コップに一ぱいの湯気のたっているミルクと、バターをぬったトーストとが出てきた。明子はそれをつくえの上に運んで食べた。

食べ終わってとけいを見ると学校の始まる時間だった。

「電話をかけなくては」

電話器のそばの〝学校〟というボタンを押すと、先生の声が聞こえてきた。

「どうしました、明子さん」

「おかあさんが病気になって病院に行ってしまいました。それにおとうさんから電話があるかもしれないので、きょうは、家にいようと思います」

「おや、それはたいへんですね。では、テレビで一緒に勉強しましょうね」

まもなく、かべの大きなカラーテレビにいつもの学校の教室が映った。

「みなさん、おはよう」

と、先生は教壇の上から授業を始めた。

「きょうはおさかなが、どうやってとれているかについて勉強しましょう。むかしは、船であみを引っぱって海のおさかなをとっていましたが、世界の人口のふえたこのごろでは自然に育ってくるおさかなをとっていたのでは間にあいません。牧場で牛を育てるように海でおさかなを育てるのです。では、実際にどんなふうに行なわれているかを映画で見てみましょう」

先生は教室のかべに映画を映した。明子さんはテレビを通してそれを見つめた。

人工的にたまごがかえされ、小さなさかながたくさん動きはじめた。そして、列を作って泳ぎだした。海の中に流されている電気で、みちびかれているのである。青い海にうかぶ船は、その通り道の上からえさをまいている。水中撮影の映画は、さかなたちがそのえさを食べながらしだいに育ってゆくところをおもしろく見せた。そして、大きくなったさかなは列を作ってあみのなかに集まってくるのだ。

「さかなはこうして育てられるのです。集められたさかなは、冷凍にされたり、かんづめにされますが、それはこの次に勉強しましょう」

一時間めは終わった。

勉強はこうしてお昼まで続いた。きょうは、土曜なので勉強はお昼までだ。勉強が終わると、テレビの画面に同級生の正夫君が出てきた。

「明子さん、おかあさんが病気なんだってね。あとで遊びに行こうか。さびしいだろう」

「ええ」と、明子は答えてテレビを切った。それから、

「おかあさんのぐあいはどうなのかしら」

と、病院に電話をかけてみた。お医者さんはこう答えた。

「どうもめずらしい病気で、よくわかりません。いま、いっしょうけんめい調べていますから、もう少しお待ちください」

「見舞に行ってはいけませんか」

「病気がはっきりするまではいけません。もう少したってからにしてくださいね」

明子は、なんとなくさびしくなり、娯楽テレビを見ようかと思ってダイヤルを回し

たが、あんまりおもしろいものはやっていなかった。
料理機でかんたんな食事を作って食べ終わった時、ベルが鳴って正夫君がやって来た。

「やあ、こんにちは。地下のエスカレーター道路で乗りかえる所をまちがえたので変な所に行っちゃった。エスカレーター道路は早くて便利だけど、地下だから町のようすが見えないので時どきこまることもあるね。ああ、明子さんのおかあさん病気なんだってね」

「ええ、急にからだがだるくなって病院に行ったんだけど、まだ何の病気だかわからないんだって。ちょっと心配だわ」

「何だ、すぐ治るよ。このごろは、治らない病気なんかないじゃないか。元気を出して遊ぼう」

正夫君はこう言いながらポケットからピストルを出し、それから出ているコードをテレビのはしにさしこんだ。

「西部劇ごっこをしよう」

ダイヤルが合わされるとテレビの画面には、砂漠を走る馬に乗ったインディアンがあらわれた。

「うつぞ」

正夫君がピストルの引き金をひくと、パンパン音がし、ねらいが合っている時にはインディアンが馬から落っこちた。

「さあ、きみもやってごらんよ」

正夫君は、ピストルを明子さんにわたそうとしたが、

「そんな遊びつまんないわ。男の子ってずいぶん西部劇がすきなのね」

「それじゃあ、こども用の室内プールに行ってみようか。潜水服を着て、もぐりっこをしよう」

「きょうはだめよ。おとうさんから電話がかかってくるかもしれないの」

「そうだったね。きみのおとうさんはまもなく火星から帰ってくるんだったね」

「あしたの夕方よ」

「そのうち火星のお話を聞きに来るよ」

「きょうはここで遊びましょう」

明子はおもちゃばこから踊り人形を出してきた。この人形は歌をうたってやるとそれに合わせて踊るのである。正夫君はこれで遊んだことがなかったので、うんと早い歌をうたったり、またうんとゆっくりうたったりして大喜びだった。踊り人形はそれ

につれておもしろく動き、正夫君はわらった。明子も、しばらくさびしさをわすれた。

ロケットを追う隕石（いんせき）

ポンポンと電話が鳴った。

「こちらはロケット空港です。いまロケットから通信がはいり、何か事件がおこったようです」

「おとうさんの乗ったロケットがどうかしたんですか」

「はい、ロケットが大きな隕石に追いかけられているのです。ロケットを追いかける隕石など今までにない事件です」

「おとうさんは、ぶじでしょうか」

「今のところぶじです。少しならおとうさんとお話してもかまいませんよ。どうぞ」

明子は、さけんだ。

「おとうさん、大丈夫？」

しばらくするとおとうさんの声がはいってきた。

「大丈夫だ。なぜだかわからんが、隕石が追いかけてきた。ぶつかるとたいへんなので、これから速力をあげてにげるところだ。うまくいくだろう。そう心配しなくてもいいよ。ところで、おかあさんはどうしたい」

「今、ちょっと出かけたとこなの」

と、明子はうそをついた。おかあさんが病気だと言って、おとうさんを心配させてはいけないと思ったからだ。

「そうかい。では、心配しないように言ってあげておくれ」

電話は終わった。おかあさんがわからない病気になっただけでも心配なところへ、おとうさんのロケットに危険がせまってきたのだ。明子は、どうしようもなく、悲しくなってなき出してしまった。正夫君もそれをなぐさめようがなかった。

「そう心配することはないよ。きっとうまくいくよ。だけど、どうして隕石がロケットを追いかけはじめたのだろう」

宇宙小説のすきな正夫君は、もしかしたらどこかの宇宙人の作った機雷が流れてきたのじゃないか、と思ったが、そんなことを言ったら、明子がますます心配するのでそれ以上は言わなかった。

「元気を出せよ。おかしを作ってあげよう。ぼくは料理機を動かすのがうまいんだよ」

正夫君は粉やさとうやリンゴを入れた。しばらく機械の音が続いた。

「ほら、できた。少しこげたかな」

明子さんはそのパイを食べた。しかし、まもなく、正夫君にうちから電話がかかってきた。

「正夫、もう帰っておいで」

と、言われ、正夫君は帰っていった。

にげるロケット

夕やみのせまってきたへやのなかで、明子は、ぼんやりしていた。窓の外の空では星が光りはじめたが、あの空のどこかでおとうさんが、いま隕石に追いかけられているのかと思うと、いつものように空をながめる気もしなかった。

スイッチを入れたのでかべが一面に光りはじめ、へやが明るくなりはじめた時、病院のおかあさんからテレビ電話がかかってきた。

「おかあさん、ぐあいはどうなの」

「たいしたことはないようだけど、病気が何だかわからないうちは帰れないそうだよ。おとうさんから電話はあった？」

「ええ、ぶじにあした帰れるだろうって」

と、明子は、テレビ電話に向かって、むりに元気そうな顔をして答えた。入院しているおかあさんにおとうさんの事件を知らせて心配させまいと考えたのだ。

「だけど、明子はさびしそうだね。でも、あすはおとうさんが、帰っていらっしゃるんだから、ひとばんだけがまんしてね」

電話は終わった。しかし、寝ようとしても眠れそうになかった。娯楽テレビで漫画を見る気もしなかったし、あまりおなかもすいていなかった。

ひとりでぼんやりしているうちに静かに時間がたっていった。おかあさんは、治るのかしら、おとうさんはぶじに帰れるかしら。明子は、とうとうがまんできなくなって、ロケット空港に電話をかけてみた。

「もしもし、火星ロケットはどうなりましたか」

「いま、いろいろ手をうっているところです。ロケットからのテレビがはいるようになりましたから、そのありさまをおたくにもお見せしましょう」

まもなく、かべにロケット内のありさまが映し出された。おとうさんも見えた。

「あっ、おとうさん」

だが、無電はほかの通信に使われているので、その明子の声は、とどかなかった。ロケットと地上や月の基地との通信が聞こえた。

「もっと、速力を上げてみろ」

地上からの通信だ。

「これ以上はむりです」と、ロケットから。

テレビに映るロケットの窓の外には、ごつごつした隕石が見えた。さっきからロケットを追いかけ続けている隕石だ。

「少しずつ距離がせまってきます。追いつかれて、ぶつかったらロケットはめちゃめちゃです」

と、ロケットから。

「もう少しがんばれ。いま月の基地から原爆をつけたミサイルを積んだロケットが出たところだ。それが間にあえばミサイルで隕石を破壊できる」

と、月の基地から。

「なぜ隕石が追ってくるのだ」

「わからん。隕石が強い磁鉄でできているのか、電気をおびているのだろうと思う。それともまだ知られていないことかもしれぬ」

隕石は少しずつロケットに追いついてきた。おとうさんも汗を流していた。

「おとうさん」

明子はさけんだ。そして、もうこれ以上見ていられないのでスイッチを切ってしまった。

寝床にもぐりこむと、またなきたくなってきた。だが、ないてもどうにもならないことなのだ。オルゴールの音は明子が眠らないので、いつまでも鳴り続けていた。

地球から追い出される

うとうとしかけた明子は、こわい夢を見た。

明子が、治らない病気にかかり、ロケットにただひとり乗せられて、地球から追い出されてしまったのだ。もうだれも助けてくれず、ロケットで遠い、どことも知れない所に送られてしまうのだ。その時、ロケットの窓を外からポンポンとたたく音がした。だれがたたいているのだろう。宇宙の怪物にちがいないわ。こわい。しかし、ロケットの中ではどこににげようにもにげられないのだ。

「助けて」

と、思わず声をあげたら目がさめた。しかし、ポンポンという音は聞こえていた。

どこからか電話がかかってきたのだ。

おとうさんのロケットが、とうとう隕石に追いつかれて、こわれた知らせだろうか。

それともおかあさんの病気が治らない病気だという知らせだろうか。今こわい夢を見たあとなので明子の胸はどきどきしていた。だが電話は暗い中で赤いランプを点滅させながら、ポンポン鳴り続けている。

電話に出なければならないのだ。受話器をとったが声が出なかった。しかし、それにおかまいなく向こうの声はひびいてきた。

「こちらはロケット空港ですが……」

「ロケットは隕石からにげられましたか」

「いや、とうとう追いつかれてしまいました」

「だめだったのね」

明子は、力がぬけたように、ゆかの上にしゃがんでしまった。隕石でロケットがめちゃめちゃになった光景が頭にうかび、それを追いはらうことはできなかった。なみだがこみ上げてきた。向こうの声は、さらに続いた。

「だめではありません。隕石がぶつかる前に乗員はみな宇宙服をつけてにげ出すことができました。そして、月の基地から救援に向かったロケットに全員ぶじに助けられました」

「おとうさんは助かったのね」

明子は、ほんとうにほっとした。

「ええ助かりましたとも。月基地からのもう一台のロケットは原爆ミサイルをぶっつけて、隕石を破壊するのに成功しました。今、破片を集めていますから、いずれ原因もわかるでしょう」

「それで、おとうさんはいつ帰れますか」

「この事故のため、予定より二時間おくれて、あしたの夕方おそくになるでしょう。あ、それから、おとうさんの発見した火星植物は、うまくロケットから持ち出せましたよ」

電話は終わった。おとうさんはぶじにあす、帰っていらっしゃるんだわ。明子は、少し元気になりへやのあかりをつけた。そして、おかあさんにさっそく知らせてあげようと思った。もう知らせても心配なさらないだろうから。

カゼというむかしの病気

病院へ電話をつないでくれるボタンを押そうとした時、また電話がかかってきた。病院からだった。

「こちらは病院ですが……」

「いま、かけようと思ってたとこよ。おかあさんの病気はわかりましたか」

「ええ、わかりましたよ。あしたの朝、退院なさいます」

「なんだったんですか」

「どうもはずかしい話ですが、かんたんな病気すぎてわからなかったんです」

「なんという病気でしたか」

「カゼという病気でした。この病気はここ二十年のあいだ、ほとんどかかった人がなかったので、われわれがまごついてしまったのです。カゼとわかれば心配ありません。すぐ治ります。もっとも最近はかかる人がないので薬が置いてありませんが、あしたの朝までにはその薬で全快します」

明子はむかしはやった病気のカゼが、どんな病気かわからなかったが、おかあさんがあしたまでに全快するとわかって安心した。

「まあ、よかったわね」

これで、今まで明子の上に重くのしかかっていた心配事が二つとも、すっかり消えてしまったのだ。

すっかり安心すると同時に、急におなかがすいていることに気がついた。そこで、また料理機のボタンを押して、あたたかいミルクを二杯も作って飲んだ。それから、寝床にはいった。こんどは夢を見ることもなく、すぐに眠った。

ヘリコプターでドライブ

「明子、そろそろ起きなさい。もうお昼近くですよ」

明子が、その声で目をさますと、おかあさんがいつの間にかうちに帰っていた。

「ひとりでさびしかったろうね」

おかあさんはもう昼の用意をすませて待っていたのだ。

「ええ、いま顔を洗ってくるわね」

自動式の顔洗い機はしゃぼんの水と、お湯を次つぎにふきつけて、なみだのあとが残っている明子の顔をやさしく、きれいに洗ってくれた。

お昼ごはんを食べながら明子はおかあさんに、おとうさんのロケットが事故にあったこと、けれどぶじに助かったことを話した。

「そんなことがあったの。じゃあ、ずいぶん心配したろうね」

おかあさんはやさしく明子の頭をなでた。

「さあ、それではおとうさんをそろそろおむかえに行きましょうか」

「あら、まだ早いわ。その事故で二時間ばかりおくれるんですって」

「それならヘリコプターに乗って、ひさしぶりにゆっくりドライブしながら行きましょうか」

「わあ、うれしい。地下のエスカレーター道路は早いけどちっとも外が見えないんですもの」

おかあさんはヘリコプター・タクシー会社へ電話をかけた。そして、ふたりがビルの屋上で待っていると、まもなくヘリコプターが飛んできた。

「空港まで行ってください。だけど、ゆっくりでいいのよ」

ふたりの乗りこんだヘリコプターは静かにまい上がった。下にはいくつもならんでいるビルがきれいにながめられ、その間の道路を空気自動車が小さく動いていた。遠くの青い海の上には、ぴかぴか光るステンレスの船が波も立てずに進んでいるのが見えた。

そして、青空。白い雲の上からは日光が照り、このヘリコプターの中にもさしこんでいた。

あの雲から、もうすぐロケットがおりてくる。そうしてその中から元気におとうさんが出てくるのだわ。明子は、この一日間の心配がまるでうそのように思えてきた。

――「四年の学習」１９６１年正月特大号

ねずみとりにかかったねこ

悪人のゴス博士は、たいへんな発明をして、部下のクリンをよんだ。

「おい、クリン。やっと完成したぞ」

「先生、どんな発明です？」

「この二つのくすりだ。こっちを飲むと、からだがずっと小さくなる。飲んでみせよう」

ゴス博士がそれを飲むと、みるみるうちに、二十センチばかりにちぢんでしまった。

「これはおどろいた。だが、もとにもどるんですか」

「もちろんだ。それには、もう一つのくすりを飲めばいいんだ。ほら」

博士は、もとの大きさにもどった。

「すごい発明だ。これさえあれば、どんなところへでもはいれますね」

「そうだ。まず今夜、宇宙研究所にしのびこみ、ロケットの設計図をぬすみだして、外国に売ろう。もうかるぞ」

夜になって、ふたりは宇宙研究所に近づき、塀（へい）にあなをあけ、くすりを飲んだ。

「さあ先生。行きましょう」

「まて、クリン。これを着ろ。これを着ていれば見つかってもあやしまれない」

ゴス博士の用意してきたものは、ねこの毛皮だった。ふたりはそれを着てあなをくぐり、めざす建物にむかった。

「ここが設計室らしい。さいわいだれもいないぞ。はいってみよう」

ふたりは窓のすきまからはいり、つくえの上を歩きながら、図面をさがしまわった。

「どこかなあ。あの箱かもしれないぞ」

たなの上にある箱をみつけ、ふたりが箱の上に上（のぼ）ったとたん、

「あっ」

バタンとふたがあき、ふたたびしまった。ふたりは箱の中にとじこめられたのだ。

「しまった。ねずみとりだったのか……」

クリンはあわてたが、ゴス博士は、おちついていた。

「こんなこともあろうかと、小さなドリルとやすりをもってきた。すぐに出られるさ」

しかし、そこへ、物音を聞きつけて、ふたりの男がやってきた。

「やっ、ねずみがかかったらしいぞ」

「すぐ、ころしてしまおう」

中のふたりはおどろいた。ゴス博士は、

「ニャーニャー」

と、練習しておいた声をだした。

「おい、ねずみではなく、ねこらしいぞ」

ひとりがこういいながら、あなからのぞいた。

「やっぱりねこだ。だが、ねこではしようがない。にがしてやるか」

ゴス博士とクリンはほっとしたが、もうひとりの男はこういった。

「そのねこをぼくにくれ。実験につかうんだ」

「ねこを何につかうんだい」

「ロケットにのせて、宇宙にうちあげるんだよ。そして地上にもどす実験だ」

「なぜ、ねこをつかうんだい」

「ねこは高いところからおちても平気だからだ。ほかの動物では、骨がおれてしまうだろう」

中で聞いていた、ゴス博士とクリンは、これを聞いてびっくり。

「たすけてくれ。そんなことをされたら、死んでしまう」

このさけび声に、男たちもおどろいた。

「おい、ねこが口をきいたぞ。あやしい。よくしらべてみろ」

そして、とうとう、ゴス博士とクリンは、つかまってしまった。

――「たのしい四年生」1961年2月号

白い怪物

エース博士、ロット操縦士、それにピル少年の三人がロケットに乗りこんで地球から遠くの宇宙基地に向かった途中のことである。みなが食事を始めようとした時、とつぜんけたたましくベルが鳴った。

「たいへんだ。隕石(いんせき)(宇宙に流れている星のかけら)が近づいて来る。万一の用意に、宇宙服を着てください」

ロット操縦士のさけびで、すばやく宇宙服を着終わると、とつぜんはげしい音がしてロケットがゆれた。隕石がぶつかったのだ。大きな穴があき、空気がもれはじめた。

「宇宙服をつけていて、ひとまず助かった。だが、このままでは、死ぬのを待つだけだ」

「よし、あそこに小さな星が見える。あれに着陸だ」

エース博士の命令で、ロケットは、その名もわからない星に不時着。

みなはロケットを出て、そばの岩山に登ってみた。

「見わたすかぎり岩ばかりですね」

「なにもなさそうだ。早く修理して出発しよう」

みながロケットにもどってみると、

「おや、どうしたのだろう」

さっきまでつくえの上にならんでいたはずの、食事が消えている。

「ミカンだけ残して、すっかりなくなっている」

みなは急いで外へ出てみた。

「あっ、あそこに何かいます」

と、ピルが指さした。岩の上を這(は)って来る物があったのだ。それは、白っぽく、やわらかそうな、何本もの手を持った大きなクラゲのようなものだった。ゆっくりとこちらへやって来た。

「これ以上食料をうばわれたら、これから先、ミカンだけを食べていかなければならない。あいつらをロケットに入れるな。ピル、ロケットの穴に網(あみ)をはれ。しばらく、くい止めているから」

博士とロットは、石ころを拾って投げつけ、ピルは大急ぎで、穴にナイロンの網をはった。だが、いくら石を投げつけても、怪物たちは、ひるまずロケットに向かって来た。

「早く中にはいろう」

みなはロケットにはいり、ドアをしめた。息をのんで待ちかまえていると、怪物はロケットによじ登り、網の外に、そのぐにゃぐにゃしたすがたをあらわした。そして、網をやぶりはじめたのだ。

「あのじょうぶなナイロンの網をやぶるとは、やわらかそうなのに、すごい力だ。しかたがない。こうなったら銃をうて」

博士とロットは怪物に銃を向けた。しかし命中しても、たまは、やわらかいからだをつきぬけてしまい、怪物たちは少しも弱らず、つぎつぎとロケット内へはいりこんで来た。

「たいへんだ。食料室に向かうぞ」

怪物たちが、においをかぎつけたのか、食料をしまってあるへやに進みはじめたのだ。

そこをあらされたら一大事だ。たまをうちつくし、みなは、だめとは知ってても、食器、ハンマー、ネジまわしなど、手にふれる物をつぎつぎと投げつけずにはいられなかった。

しかし、怪物は平気で進んで来た。

「もうだめだ」

と、ロットがさけんだ。だが、その時、ピルは博士が止めるのもきかず、食料室に飛びこんだ。そして、ミカンをにぎりしめ、目の前にせまってきた怪物にぶつけはじめた。

怪物の動きがふいに止まった。ミカンのあたった所が白く固まったように見えた。怪物たちは、さっきよりにぶくなった動きで、よたよたと穴からにげて行った。

「ああ、やっと助かったぞ。だが、ピルくん、どうやって追っぱらったんだ」

「怪物がミカンを持っていかなかったのを、思い出したんですよ。きっと、これがきらいなんだろうと思って、ミカンをつぶしてぶつけたんです」

ミカンで怪物を追いはらっている間に、ロケットの修理も終わり、このふしぎな星を飛び出すことができた。

「ミカンの汁をいやがるとは、ほんとにへんな怪物でしたね」

ピルは博士に話しかけた。

「生物(せいぶつ)には、何か苦手があるものだ。ひょっとしたら、あの怪物は、たんぱく質ばかりでできている生物だったかも知れないよ。だから、すっぱいミカンの汁にあうと、からだが固まってしまうのだろう。ピルも、たんぱく質の固まる実験をしなかったかい」

ロケットは静かに宇宙の旅を続けた。

——「四年の学習」1961年3月号

＊「白いかい物」改題

悪人たちの手ぬかり

㈠

ここは、アリゾナ州のはずれにあるグレイ・タウンという町だ。少年のビルもここに住んでいる。ある日、ビルは馬を運動させるため、町から五キロぐらいはなれた林まできた。

「さあ、あの林で少し休もう」

ビルは馬にこう声をかけながら、林のなかにはいり、そこで馬をおりて、しばらく横になって休んだ。馬はそばでおとなしく草を食べはじめた。

そのうち、何頭もの馬のかける足音がした。起きあがってみると、林にそったグレイ・タウンへの道を五人の男たちが近づいてくるのだ。みな、いずれもあまり人相がよくない。

「見なれない人たちだな」

と、ビルがそっと見つめていると、その先頭のひとりが、ほかのものに合図し、馬をとめさせた。

「さあ、もうすぐグレイ・タウンだ。みな馬からおりろ。少し休んでよく打ち合わせをしよう」

「いいぜ、ジェフ。みなのしごとをちゃんときめておこう」

と、ほかの連中は口々にいいながら、馬をおり、ジェフとよばれた男のまわりに集まった。

ジェフとよんだな。では、あのおたずね者のジェフだろうか。ビルはこう考えながら、少し近づいた。すると、やっぱりそうだった。町にはってあったポスターの人相と同じだったのだ。だが、連中は何の相談をするのだろう。ビルはさらに近づいたが、連中は気がつかないようだった。そこでビルは、木のかげから、話していることを聞いてみた。

「金をうばって逃げるのだから、身軽なほうがいい。よぶんな荷物はここにおいていって、帰りに持って帰ろう」とジェフ。

「そうだな。ピストルと、うばった金を入れるふくろだけを持っていけばいいわけだ」

と、子分らしい四人は、馬のくらから荷物をおろし、大きな麻のふくろを用意した。どうやら、町へぬすみに行くらしい。

「よし、では打ち合わせをしよう。おれは銀行の入口でだれも近づかないように見っていることにする。おまえたちは、なかに押し入るのだ」

というジェフに子分が聞いた。

「われわれは、どうやりましょう」

「おまえたちのうち、ふたりは、まず客のようなふりをして窓口に行きそこでふいにピストルをだして手をあげさせる。その間にほかのふたりが金をふくろにつめて持ち出せ」

「わかりました」

「ぐずぐずするなよ。金を手に入れたら、すぐ馬で逃げるのだ。もしはなればなれになったとしても、ここに集まることにしておけば、だいじょうぶだ。それから、ゆっくりテキサス州に逃げこむのだ」

「では、でかけるとしよう」

ジェフの一味は、これからグレイ・タウンの銀行をおそう相談をしているのだ。ビルは、早く町の人に知らせせようと思った。ぼくなら近道を知っているから、連中より先に町に行ける。ビルは木のかげからそっとはなれ、馬に近づいた。

だがそのとき、もどってきたビルを見て、ビルの馬がうれしそうに、ヒヒーンとないてしまったのだ。

「あっ、だれだ」

悪人たちはおどろいたようにふりむき、ビルを見つけた。

「まて、小僧、逃げるな」

悪人たちはピストルを持っているので、ビルはこれ以上逃げるわけにはいかなかった。悪人のひとりはビルをつかまえ、らんぼうなひっぱりかたで、ジェフの前につれてきた。

「おい、おまえはだれだ。何をしていたのだ」と、ジェフが聞いた。

「ぼく、ビルっていいます。馬を運動させにやってきたんです」

と、ビルはこわごわ答えた。

「おまえはここで、われわれの話を聞いていたろう」

「そんな話は聞きませんよ」

ビルはその相談を聞いてしまったと答えたら、どんなことをされるか心配だったので首をふった。だが連中はだまされなかった。

「ごまかそうとしても、だめだ。急いで逃げようとしたではないか。話を聞かなかったのなら、何も逃げる必要はない。町のものに知らせようとしたのだろう」

ビルはもうごまかせなくなった。

「この小僧をどうしましょう」

との子分のことばにジェフはこう答えた。

「まあ、子どもだから、あまり手あらなことはできまい。だが、われわれが銀行をおそう話を聞いてしまったからには、逃がすわけにもいかぬ。われわれがもどってくるまでしばって、ここにおいておこう」

「それはいい」

子分のひとりは長いナワを取りに行こうとしたが、そのとき、手に持っているふくろに気がついていった。

「どうです。このふくろにおしこめておきましょう。うばった金を入れるなら二つもあればいいでしょう。これに入れておけば、逃げられはしませんよ」

「それもおもしろい。早く入れてしまえ。ぐずぐずしていると銀行がしまってしまう」

ビルは、ついにふくろに入れられ、ふくろの口は、ナワでゆわかれてしまった。

「おい、出してくれよ」

ビルはふくろの中で大声をあげたがだめだった。

「さわぐな、小僧。そのふくろはじょうぶだからさわいだって出られやしないぞ。おれたちがひとしごとして帰ってくるまで、その中でおとなしくしていろ」

悪人たちは、大声で笑いながら馬にのり、グレイ・タウンへの道をかけだした。

㈡

町の人たちは、ジェフの一味がそんな相談をしているとは知らず、油断をしていたので、ついに銀行はおそわれた。悪人たちは金をふくろにつめ、馬にとびのって逃げた。

「ジェフ。うまくいったな」

「ああ、わけまえはたんまりやるぜ」

ジェフ一味のあとをおって、町の人たちがおいかけてきたが、まもなく引きはなされてしまった。

そして、悪人たちはふたたび、さっきの林にもどってきた。

「もう、町の連中もおってくることはないだろう。それに林の中にかくれていればわかるまい」

だが、子分のひとりが急にさけんだ。

「やっ。小僧の馬がいない。さては逃げたな。ぐずぐずしてはいられないぞ」

「だが見ろ。ふくろはちゃんとそのままだ。ふくろの口もしばったままだ。馬では口がきけないから、いなくなっても安心さ」

「そうだな。おい、小僧。もうすぐ出してやるからな」

だが、ふくろからはビルの声がしなかった。

「ははあ、小僧はねむったな。たわいもないやつだ」

「ではわれわれも、ひと休みして逃げるとするか。小僧はそのときに出してやろう」

悪人たちは、ビルの逃げたようすがなかったので、すっかり安心し、馬やピストルの手入れをし、今うばってきた金をわけたりしはじめました。

だが、そのとき、林に近づいてくるたくさんの馬の足音がした。町の人たちが、保安官を先頭にしておってきたのだ。

「あっ、おってきたぞ。だが、どうしてここにいるとわかったろう」

「だが、こっちには人質にビルという小僧がある。これでこの場をきりぬけよう」

ジェフは、おってきた人たちに向かってさけんだ。

「おい、近づくな。こっちにはビルという子どもがつかまえてある。近づくと子どもがあぶないぞ」

だが、先頭の保安官は笑って答えた。

「そんなことをいってもだめだぞ。子どもは逃げたんだ」

「そっちこそ、いいかげんなことをいうな。ビルはつかまえてふくろに入れた。ふくろの口はしばったままだし、そこにあなはあいていない。だからちゃんとここにつかまえてあるわけだ」

と、ジェフがいいかえしましたが、保安官は、

「では、これを見ろ」

と、そばにいるビルを見せた。

「あっ、これはふしぎだ」

おどろいた悪人たちは手をあげる以外になかった。

ビルは、いつか旅の人から聞いた手品の話を思いだしてやったのだ。

悪人たちが町にむかったあと、ビルは小さなナイフを持っていたのに気がついた。だが、あなをあけては悪人たちがもどってから、逃げたことに気づいてしまう。そこで、できるだけ口に近いところを内側からきりとって、ふくろから出たのだ。

ふくろから出たあと、まわりの草をむしって中につめ口をしばってあったナワをほどいて、ふくろの口をもとのようにしばった。これで、ふくろの長さは少し短くなったが、見たところは、中にビルがいるように見える。

こうしておいて、ビルは馬を走らせ、近道を通って町に行き、みなに知らせたのだ。そして保安官を案内し、すっかり油断していた悪人たちをおどろかしたのである。

この説明を聞いて悪人たちはすっかりおそれいった。

「こうと知ったら、ちゃんとナワでしばっておくのだった」

といったが、もうおそい。

ビルは、グレイ・タウンの人びとに感謝されたばかりか、懸賞金をもらうこともできた。

――「考える子ども 四年生」 1961年4月号

夜のへやのなぞ

夏子さんは、今夜、おじさんの家に行って泊まることになった。おとうさんが会社のお仕事のために東京へ行かれたからだ。いつもなら、おとうさんのおるすでも、おかあさんと一緒なので、おじさんの家などに泊まりに行くことはないのだが、きょうはおかあさんがお昼ごろから急に熱を出して入院なさってしまったので、夏子さんはおじさんの家に行って、泊まることになったのだ。

「やあ、夏子ちゃん、よくきたね」

と、おじさんはニコニコしながらむかえてくれた。おじさんの家は床屋をしているので、家中、どことなくいいにおいがただよっているようだ。

夜になった。

「おじさん、おやすみなさい」

「ああ、ゆっくりおやすみ」

夏子さんはあいさつして、おじさんのそばにしいたフトンにはいった。まくらもとのスタンドが消され、へやが暗くなった。そして、いつのまにか眠ってしまった。

ふしぎな音が……

しかし、夜中に夏子さんはフト目をさました。何かガタガタいう音が聞こえたのだ。なんだろう。手をそっとのばして、スタンドの電気をつけてみた。おじさんはぐっすりと眠っている。すると、また物音がしたようだ。おじさんを起こそうかと思ったが、よく眠っているので、夏子さんはひとりでそっと、ねどこをぬけ出して、ろうかにでてみた。物音は向いのへやからしたようだ。何なのだろう。夏子さんは戸をあけて、のぞきこんでみた。そして、大声でさけんでしまった。

「キャーッ」

足音をバタバタさせて、寝ていたへやにもどり、おじさんをゆり起こした。

「おじさん。たいへんよ。起きてよ」

「あーあ。どうしたんだい。大きな声をだして」

と、おじさんは眠そうな声をだした。

だれかがいる!!

「おじさん、こわかったのよ」

「おやおや、何かあったのかい。ああそうか。おとうさんや、おかあさんと一緒じゃなくて、こわい夢でも見たんだな。安心しなさい。おじさんがいるじゃないか」

だけど、夏子さんは首をいっしょうけんめいにふっていった。

「夢じゃないのよ。あそこのへやをのぞいたら、だれかがいたのよ」

「えっ、どのへやだって」

「あそこよ」と夏子さんは指さした。

「だけど、あのへやにはだれもいるはずがないよ」

「じゃあ、お化け」と夏子さんはますますこわくなってきた。

「お化けなんかいるはずはないよ。ところで今は何時ごろだろう」と、おじさんはフトンのなかから手をのばして、まくらもとの腕時計をさがした。だが、夏子さんは、

「一時よ。さっきあのへやをのぞいたときに、ちゃんと見たもの。ここからさしこむあかりで、ちゃんと見たわ。そして、だれかが暗がりにいたのよ。だれなのよ」

お化けの正体は？

おじさんは、腕時計をのぞきながら言った。

「わかったよ。おじさんの時計では、ほら十一時だろう。それで、あのへやにいたお化けの正体もわかったのだよ」

「えっ、どうしてわかったの。お化けって何だったのよ。それに私が見た時計は一時だったわ」

「あのへやには、この間買った、お店の大きな鏡がおいてあるのだよ。だから、こっちがわにかけてある時計がうつって見えたわけだ。この腕時計を鏡にうつしたら何時に見えるかい」

「一時に見えるわ。鏡にうつっていたわけね。だけど、暗がりにいたお化けの正体は何だったの。ほんとに人がいたのを見たのよ」

「それは夏子ちゃんのお化けさ」

「えっ、あたしのお化けですって！」

「そうだよ。へやのなかにいた人かげは夏子ちゃんがうつっていたのさ。だがら、だれもいないへやのなかに、人が見えたように思えたのだよ」

「なんだ。そうだったのね」

「わかったろう。わかってみればかんたんなことだよ。さあ、安心してゆっくりおやすみ」

おじさんは、こういってスタンドのスイッチを消した。また、へやのなかは暗やみになった。

しかし、あの音は……

夏子さんは、おじさんの説明で安心して眠ろうとしたがいま、びっくりしたせいか、なかなか眠れなくなった。そこで、いまのことを考えてみた。

あのへやに鏡がおいてあるとは知らなかったわ。それで時計のはりを左右反対に見てしまったのね。だけど、暗がりに見えた人かげは、ほんとうに私のうつったかげだったのかしら。私のかげなら、あんなに大きくないと思うけれど変だわ。

そうだわ。きっと鏡が少しこっちにかたむいておいてあったのかもしれないわ。それで、あたしが少し高く見えたのね。だけど、あの物音は何だったのだろう。あたしが目をさましてしまった物音。目がさめてからも聞こえたのだから夢じゃないわ。

気にしはじめると、なぞはますますわからなくなってきた。そして、とうとう、また電気をつけ、おじさんを起こしてしまった。

へやにはいった……

「ねえ。おじさん、起きてよ」

「やれやれ、何だい。またかい。おじさんは眠いんだからあんまりねぼけないでくれよ」

「ねぼけたんじゃないのよ。あのへやに鏡があることはわかったけど、ガタガタいう物音は何だったの」

「おおかたネズミでも走ったんだろう。あした、ネズミトリの薬を買ってこよう」

「ネズミの音じゃなかったわ。べつな音だったのよ」

おじさんは夏子さんにいわれて、しぶしぶ起きあがった。そして、ろうかにでた。さっきのへやのスイッチをいれ電燈をつけた。

「さあ、なかにはいってよく見てごらん。何も変なものはいないだろう?」

夏子さんは明るくなった、大きな鏡のおいてあるへやにはいった。

ガラス戸がない!

さっき時計を見た所には、反対がわのかべにかかった時計がうつっていた。

それから、さっき暗がりだった所、人かげを見たと思った所に目をやった。だが、そこには鏡はなかった。変だわ。たしか、この辺に見たような気がしたんだけど。やはり、おじさんのいったようにあたしがねぼけていたのかしら。夏子さんはあたりを見まわし、

「キャーッ」

と、またさけんでしまった。

「どうしたんだい」

「おじさん。こっちへきてあれを見てよ」

おじさんは、あくびをしながらろうかから鏡のおいてあるへやにはいってきた。

「あーあ。何かあったかい。だけど鏡にうつった物じゃこまるよ」

「そうじゃないのよ。たいへんよ」

「どれどれ」

と、はいってきたおじさんは夏子さんの指さすところを見ておどろいた。窓のガラス戸がはずされていたのだ。

にげたどろぼう

「やっ。ほんとうだ」

おじさんは、あわててゆかを見た。そこにはどろだらけの足あとがあった。

「これは大変だ。どろぼうらしい。さては、あの窓をはずしてしのびこんだな」

おじさんは、あたりを見まわしてみた。

「やっぱり、どろぼうだったのね。おじさん、何かとられたの」

「いや、何もとられていないようだ」

「どうして何もとらなかったのでしょう」

「きっと、窓をはずしてしのびこんだ時、夏子ちゃんがのぞいて、大声をあげたのであわてて窓からにげていったのだろう。それにしてもよかった。夏子ちゃんのおかげで、何もとられなくてすんだよ」

「なんだかかえってこわくなったわ。さっき見たのがどろぼうだったなんて」

夏子さんは、さっきのことを思いだしてこわくなったが、すべてがぶじにすんだのでホッとした。

次の日。夏子さんはとてもたのしかった。おとうさんは帰っていらっしゃったし、おかあさんも元気になったし、それに、おじさんがお礼に、前からほしいと思っていたお人形を買ってくれたのだから。

――「考える子ども 四年生」1961年6月号

地球の文化

「おお、やっと帰ってきたぞ」

　空にポッツリと銀色のロケットが見えた。空港を埋めた人びとは手を叩きながら歓声をあげた。人類の期待をになって、宇宙空間にのりだしていった最初のロケットが、いま帰ってきたのだ。テレビカメラはいっせいにそれを追った。

　着陸が完了し、出てきた乗組員たちに声がとんだ。

「ごくろう。疲れたろうな」

「ぶじに任務を果して帰ってきて、おめでとう」

　だが、あまりおめでたくないことが、まもなくおこりはじめた。一人がとつぜん空を指さして叫んだのだ。

「あ、あれは何だ」

　みなはいっせいに空を見あげた。そこにはまっ黒な円盤が浮かんでいたのだ。その円盤は音もなく下降をはじめていた。そして、静かにロケットのそばに着陸した。

「あれは何だ。どこからきたのだ。何しにきたのだ」

だれもが同じようなことを口にしたが、もちろん答えられる者はない。

「あんな円盤にどこからつけられてきたのか」

こう聞かれた、いま帰ったロケットの乗員たちも、

「われわれも気がつかなかった。レーダーには何もみとめられなかった。おそらくあの円盤には電波を吸収する塗料がぬってあるのだろうか」

人びとが不安にみちて見まもるうちに、その円盤の扉が開きはじめた。

「どんなものがでてくるのだろう」

こんなつぶやきのうちに、なかから円盤と同じようにまっ黒な服をぴっちりとつけた、宇宙人たちがあらわれた。その連中は手に黒い棒のようなものを持って、あたりをじろじろ見まわしはじめた。

なにしろ薄気味悪いことおびただしい。しらずしらずのうちに、人びとはあとにさがった。だが科学者や関係者たちはいっしょに逃げるわけにはいかなかった。そして、まっ黒な宇宙人たちと通信することが試みられた。

マイク、スピーカー、録音テープ、電子計算機といったものが、大至急用意され、それらが忙しげに動いて、やっと連中との意志の疏通ができはじめた。

「あなた方はどこの星からおいでになったのです」

最初に彼等に向けてなされた質問に対し、宇宙人からはこう答えがきた。

「われわれには住む星はどこといってない。気のむいた時に、気のむいた星に住み、そうでない時は宇宙をとびまわっている」

「ははあ、そんな宇宙人がいるとは思いもよりませんでした。ところで私どもの地球に何しにおいでになったのです」

「宇宙をぶらぶら飛んでいるうちに、見なれないロケットを見つけたのだ」

宇宙人は手に持った長い棒のようなもので、そばのロケットをさした。

「そのロケットだ。そこであとをつけてきたら、ここにきた。この星も文明が進みはじめているわけだな」

「はい。長い間の努力の結果、やっと宇宙に進出しはじめたところです」

「われわれがここに来たのは、何かわれわれで出来ることがあったら手伝わせてもらおうと思ったからだ」

この答えに科学者たちは、はじめて笑顔を浮かべた。

「それはありがたい。われわれもあなた方のような文明の進んだかたがたには、今後いろいろ指導していただきたいものです。だが、どんな事をまずお願いしたものやら」

「われわれは文明の指導などに興味はない。われわれはそんなことをするつもりは少しもない」

「では、どんな仕事をお手伝い下さるのでしょう」

「われわれの仕事はこうだ。たとえばあなた方が、ある星の資源を手に入れたいがその住民が邪魔になる。こんな場合、われわれにたのめば簡単に全滅してさしあげる」

人びとはこれを聞いて、驚きあった。とんでもない宇宙人があらわれたものだ。連中にどう応対したものだろう。しばらく会話がとぎれたが、こんどは宇宙人がこう言った。

「われわれの腕前をご心配らしい。それならごらんにいれましょうか」

宇宙人の一人は、持っている黒い棒を空港のはずれにあるビルに向けた。

一瞬、人びとが息をのむうちに、光線がほとばしり、そのビルは煙となって消え、宇宙人はその黒い棒をくるくると振りまわしながら、呼びかけてきた。

「どうです。この通りです」

あまりのことに、人びとは口がきけなかった。だが、答えないでいるわけにもいかず、科学者をはじめ関係者たちが相談したが、どう言っていいかわからなかった。ほっておけば、いまの調子で何をこわしはじめるかわからない。すでに混乱が街々にひろがりはじめた。その時、一人の紳士がこう申し出た。

「お困りのようですが、あの連中をどうしたいのです」

「もちろん早く帰ってもらいたいのだが」

「では、私が言ってみましょう」

その紳士はマイクを通じて、こう呼びかけた。

「あなた方の腕前はわかりました。だが、そんな実力があるのなら、どこかのすばらしい星をみつけ、占領してそこに住んだらいいでしょうに」

「そう思うかもしれないが、われわれはこんな仕事が好きなのだから仕方ない」

「なるほど、よくわかりました。しかし、いまの地球にはおたのみする仕事がないので、またこんど通りがかりの時にでも寄ってみて下さい」

この言葉で、宇宙人たちは意外にあっさりと円盤にもどりはじめた。それにむかって、紳士はこうあいさつした。

「お元気で。だが、私はこう思いますよ。その円盤を黒くぬることと、むやみに光線を出すことと、出し終ったあと棒をふりまわすことだけは、おやめになったほうがいいでしょう。そのほうがたのもしくみえますよ」

「ありがとう。そうかもしれぬ。この地球という星は科学はおくれていても、文化は案外に高い星のようですね」

まっ黒な宇宙人たちは、そそくさと円盤にのりこみ、どこともなく飛び去っていった。

混乱はまもなくおさまり、ホッとした関係者たちは、いまの紳士に口々に感謝した。

「やっと帰った。一時はどうなることかと思っていました。おかげで私たちも助かりました」

「あんな連中は、はっきりことわれば帰って行くものですよ」

「それに、なぜだかわからないが、あなたの言葉で地球の文化のことをほめて帰った。地球の体面も保てたようだし、群衆の混乱が防げたのは何よりだ。すべてあなたのおかげだ。お礼をしなければならない。どうぞ、お名前を」

だが紳士はそれを辞退した。

「いや、私はこんなことでお礼をもらっても少しも楽しくない。私は仕事をしているほうが好きなのだ。あ、つまらぬことで時間をつぶした。今日の仕事を片づけなくては」

と紳士は時計をのぞき、

「お礼がいらないなど、実に珍らしい人だ。地球を代表する人はああいう欲のない人でなければいけないのだろうな」

と、ささやきあう関係者をあとに、人ごみのなかにまぎれて行った。

——「ヒッチコックマガジン」１９６１年７月号
『樹立社大活字の〈杜〉星新一 ショートショート遊園地』１収録

宇宙をかける100年後の夢――火星へのハネムーン――

愛情確認器の出現

　ここはロケット空港のそばにある宇宙会館。窓からのぞくと、何台ものロケットが、銀色に光って並んでいるのを見ることができる。私たちは、まもなくその一台に乗って、宇宙の旅に出発する。だが、その前に式をすませなくてはならない。

　きょうは、二〇六一年の黄道吉日。つまり、宇宙記念日だ。会館の三十階にあるこのホールで、いま、私たちの結婚式が進行中なのである。

「汝(なんじ)はこの女を愛し、妻とするか。手をこれにのせて誓って下さい」

　と、おごそかな声が、私に言った。だが、この声の主は、昔の式のように宗教家ではない。花で飾られた銀色の機械からの声だ。

　この装置は愛情確認器。ウソ発見器の進歩したものだ。私の手が触れている部分から、装置は神経電流の変化を測定し、偽りの愛情をすぐに見やぶる。

「はい。誓います」

と、私は答えた。つづいて装置は彼女にも同じ質問をくりかえした。そして、装置は、

「お二人のあいだに、愛情がみちていることを、確認いたしました」

と、言った。まわりに集っている友人たちは、いっせいに拍手をしてくれた。どうも結婚式というものは、いつの世になっても形式的だ。私たちの間がアツアツであることを、いまさら装置を使って、たしかめなくてはならないなんて。

私たちは、次に指輪を交換した。この指輪のなかには、精巧なコイルがしこんであり、愛情がうすれると、それに応じてチクチクと指に刺戟を加え、反省をうながす機能がある。これに悩まされる中年の男が多いそうだが、今の私には、そんな状態は想像もできない。

ロケットで火星へ

これで式は終り、パーティーになった。

「旅行はどちらへ」

と、友人たちが私に聞いた。

「火星へ行きます」

「それはうらやましい。最近のロケットには特別の個室がつけられたそうで、快適な旅らしいですね」

「ええ。僕たちも、その個室を予約しました。少し高くても、新婚旅行ですからね」

まもなく、出発の時刻が近づいてきた。

「では、僕たちは、そろそろ空港に行きますから」

「お元気で、いってらっしゃい」

友人たちは、拍手をして、私たちを送り出してくれた。

私たちの乗るのは、火星行きロケット。火星行きは定期船もあるが、きょうは日がいいので、新婚組の乗客が多く、これは特別の臨時だ。

スチュアーデスは座席を一巡し、切符を調べてから、こう告げた。

「みなさま。火星行きのロケット、まもなく出発でございます。しばらくは加速のため重力が多くなりますから、御注意ねがいます」

ベルが鳴り終り、噴射の音と共に上昇がはじまった。私たちは思わず抱きあって、席にへばりついたが、それほど苦しいものでもなかった。

地球が小さく見える

まもなく、重力も轟音も去り、静かな宇宙の旅となった。

「ほら、ごらんなさいよ。地球があんなに」

妻に言われて、窓の外を眺めると、丸く青い地球が、美しく浮かんでいた。そして、少しずつ遠ざかってゆく。

「ああ、さっきの空港も、もう見わけられなくなってしまった」

「ここから見ると、世界って小さなものね。山も海も、精密な地球儀みたい。あら、あそこには雲がかかっているわ。あの下は、きっと雨ね」

「僕のおやじたちは、新婚旅行に南極見物に行ったなんて、威張っていたけど、たいした旅行じゃないな」

「だけど、未来の人たちは、私たちの火星旅行のことを、たいした旅行じゃない、など言うようになるでしょうね」

私たちが見つめつづけるうちに、地球は遠ざかり、小さくなった。やっと窓ぎわをはなれた時、ちょうどスチュアーデスが告げにきた。

「新婚旅行のかたのための、個室の用意ができましたので、御案内いたします」

私たちは、あとについてロケットの後部に行った。そこには、直径三メートルぐらいの、丸い球がいくつもある。私たちの前の新婚の一組もそれに入った。ドアが厳重に閉じられ、ロケットのそとに放出されていった。この個室は長いクサリで、ロケットにひっぱられながら飛ぶのである。

私たちも、その個室に入った。

「食料、その他のすべてはなかに用意してございます。また、何か必要なものがありましたら、その電話で御連絡ください。すぐに宇宙服をつけた係が、おとどけに参りますから。では」

スチュアーデスはドアを閉めた。まもなく、私たちの個室も、空間のただなかに放出された。ロケットにひっぱられて、いくつもの個室が飛んで行くのを遠くから見れば、列をなして空を横切ってゆく雁のように見えるだろう。それとも、ビロードの布の上に伸ばされた、真珠の首飾りのようだろうか。

「やっと、二人きりになれた」

「ほんとに静かね」

宇宙の空間に浮かんだ私たちの個室は、静寂にみち、聞えるものは私たちの話し声と、息づかいばかり。

月から電話がかかった

とつぜん、そばの電話が鳴った。

「いったい、何だろう」

ボタンを押し、声を大きくすると、スチュアーデスの声で、

「月からお電話です。どうぞお話し下さい」

つづいて聞こえてきた声で、すでに月の研究所にいる伯父からのと知れた。

「伯父さんですね」

「ああ。おめでとう。仕事が忙しくて、結婚式には行けなかったが、火星の帰りにはぜひ寄って行きたまえ、歓迎するよ」

「もちろん、喜んで寄らせていただきます」

話し終って窓の外をさがすと、遠くに黄色く輝く月がひっそりと浮いていた。

「伯父はあそこで、月の地質を調べているんだ。帰りに寄って噴火口のなかを見物していこうね」

月も次第にうしろに遠ざかった。

「お星様がきれいね」

妻はため息をついた。どの窓からのぞいても、星々が地上では想像もできないような、色彩と輝きとで散らばっている。地上では半分しか見えない天の川も、ここでは私たちのまわりを、とりまいている。ちょうど、私たちを祝福する星々の花輪。

「あかりを消そうか」

スイッチが軽い音をたて、照明が消えた。星々はさらに輝きをまし、私たちの顔をほの白く浮き出させた。

「いい星空ね」

そう、決して曇ることのない星空の旅。そして、宇宙はいつも夜だ。火星へつくまでの長い夜が誰にも邪魔されないで過せるのだ。

火星へついたら、どこを見物しようか。映画では何度か見ているがきっとすばらしいだろうな。広い砂漠、ところどころの、ゆるやかな砂丘。その間を遠くまで横たわる長い運河。その上をゴンドラに乗って、ゆらゆらと進むのだ。やがて、古い火星人の廃墟（はいきょ）も見られる。

きっと、想（おも）い出に残る新婚旅行となるだろう。百年前の人など、考えもしなかったような。

――「旅」1961年9月号

オイル博士地底を行く

石油のもと、マリン・スノウ

博士と五郎君が乗りこんで、しばらくの間、機械がうなり続けた。その音がやむと、

「そらついたよ、外をのぞいてごらん」

五郎君が窓の外を見ると、そこは、暗い海の底で、変な生物(せいぶつ)が泳いでいた。

「ここは海の底らしいね」

「そうじゃ。五億年ほど、わしたちはさかのぼったのじゃ。あれは三葉虫(さんようちゅう)じゃよ」

「何だか雪のようなものが降っているね」

「うむ、あれはじゃ、マリン・スノウというてな、水面近くにいる小さな水中の生物の死骸(しがい)が、沈んでくるのじゃ」

「あれっ、こんどは石ころや砂が沈んできたよ」

「火山が噴火したんじゃろう」

「こうして、地上から流された土や砂と一緒に小さな生物たちの死骸はうずまってしまう。どうじゃ、五郎、これが将来石油になるとは考えられんじゃろう」

「えっ、これが石油に？」

「そうじゃとも、それではここで説明してあげよう」

五郎君が、石油がどうしてできたか、おじいさんのオイル博士から話を聞いているうちにも、マリン・スノウはどんどん積もり、土や砂もまた、休みなく沈んでいきます。その間に、二億年もたった。

「あっ、おじいさん、たいへんだ。この機械まで埋まっちゃったよ」

「なに大丈夫。この機械は、どこへでも行けるんじゃ。どれ、陸へあがってみようか」

トンボのおばけ

タイム・マシンはふたたび動きだした。

五郎君は、窓から外を見てさけんだ。

「やあ、すごいジャングルだ。それに、この大雨といったら、台風のときよりすごいや」

「どうじゃ、おどろいたか。このころは、雨が多くてな、気候も暖かかったから植物がこんなに大きく生長したのじゃ」

「だけど、変な木だなあ。ワラビやゼンマイのおばけみたいだね」

「そう、これは、シダのなかまで、大きいのは直径二メートル、高さ三十メートルはじゅうぶんにあるよ」

「あっ、おじいさん。トンボのおばけ！」

羽の大きさ六十センチもある大トンボが、窓の外にとまった。

それをもっとよく見ようとしたとたん、タイム・マシンが、ぐらっとゆれた。

「わっ、洪水だ、おじいさん、流されちゃうよ」

オイル博士は少しもさわぎません。タイム・マシンは、見る間に土や砂にうずもれてしまいました。

「なるほど、雨が多いので、洪水もそうとうなもんじゃ。では、海も陸も見たからこのまま少し時間を進めてみよう」

ガーッ。

タイム・マシンは、うずまったまま、一千万年ほど未来へ進んだ。

「あれ、おじいさん。さっきのトンボが、とまったままの形で、押しつぶされているよ」

「うん、あれはもう化石になっているんじゃ。五郎、おまえは、いまどこにいるかわかるか。いま、わたしたちは、石炭の中にいるんじゃよ」

「石炭の中に？」

「そうじゃ。さっき、洪水があったろう。あのとき、そのトンボも、わしたちのまわりにあった木も、一緒に、土や砂の中にうずまってしまったのじゃ。どれ、地上に出てみよう」

地上はやはり雨の多いジャングルだった。

あぶない！　恐竜だ

「こんな、洪水と、ジャングルがくり返されて、厚い石炭の層ができていったんじゃ。アメリカやアジアなど、大陸の石炭もこのころの植物が石炭になったんだよ」

「おじいさん。もっと時間を進めてみようよ」

「よしよし」

機械がうなると、たちまち一億年たった。

外は、だいぶながめがちがっていた。

ソテツ、マツ、スギなど今の植物に似たものがしげり、カタツムリのおばけのようなものが泳ぎまわっていた。

ふたりは、タイム・マシンからおりた。

「それ、五郎。そのカタツムリのおばけはアンモナイトというものじゃよ」

五郎君が見とれているうちに、ばたばたと、大きな音がした。

はっと、空を見上げると、大きなトカゲとも、鳥ともつかないものが、さっと近くへまいおりた。

「わっ、たすけてー」

五郎君がさけんだとたん、ぐにゃりとやわらかいものをふんづけた。

「あぶない、五郎、早くタイム・マシンの中へにげろ」

さすがのオイル博士も大あわて。

五郎のふんづけたのは、恐竜のしっぽだった。

オイル博士は、それをてっぽうでうちころしてにげだした。

ひととびに現代へ

「やれやれ、やっとたすかったわい」

「大きすぎて、持って帰れないね」

「さあ、そろそろ現代へ帰ろうかな」

タイム・マシンがまたうなりました。

そして、二億年をひととびに、いっきに現代にもどりました。

「これでよし。さあ五郎、おりてお茶でも飲もう」

五郎が、機械からおりてみると、そこは、さっき地底旅行に出かける前に乗りこんだオイル博士の研究室で、なんと、時計は乗りこんだ時と同じ時刻でした。

――「五年の学習」１９６１年10月号

あばれロボットのなぞ

宇宙からきたロボットのこと

人間の乗りこんだロケットが、宇宙にとびだすように、宇宙から、とんでもないものが、地球にやってこないとはいえないのだ。

ある秋も終わりに近い夜、町からちょっとはなれたところに住んでいたエフ少年が、星のきらきらまばたく夜空をながめていた。

「この広い宇宙の星々には、どんな人たちが住んでるのだろう」

エフ少年が、こんなことを考えていたときだった。星空を、ちかっと光ったものが横ぎった。

「あっ、なんだろう」

「きっと流れ星だろう。さあ、おそいから、もう寝なさい」

エフのさけび声で、本を読んでいたおとうさんは言った。

エフは、丘の向こうにとんでいった光ったものが気になったが、寝ることにした。

「たいへんだ。空とぶ円盤が、丘の上におりているっ」

つぎの朝、エフは、外のさわがしい声で目がさめた。二階の窓から見ると、丘の上に、銀色にかがやく大きな円盤が、朝日をあびて着陸していた。町からかけつけてきた警官たちが、それを遠まきにして、人々が近づかないように警戒していた。

「あっ、ドアが開いたぞ！」

ふいに人々がさけんだ。円盤のドアが、ゆっくりあいたのだ。

「どんなやつがでてくるだろう」

エフが見つめていると、人間の二倍以上もある大きなロボットが、三つあらわれた。その中の一つが、丘の上にはえている木に手をかけ、かるがるとひきぬいた。

「すごい力だ。なにをはじめるのだろう」

人々の見つめている中で、ロボットたちは、木をどんどんひきぬきながら、丘をおりはじめたのだ。

木ばかりでなく、電柱も片手で押したおして進んでいった。

「町へ向かってくるぞ」

警官たちは銃をかまえ、いっせいにひきがねをひいた。だが、ロボットたちは、びくともしなかった。さらに進んで、家もこわしはじめた。

どんな武器もだめだったこと

「すごいね。いまに、こっちへくるのかな」エフは言った。

「くるかもしれない。けれど、足はおそいようだから、あわてることはなさそうだ」

こう言ったものの、おとうさんは心配顔だった。

ロボットの力はものすごかった。コンクリートの家も、かんたんにこわれてしまうのだ。しかも、どんなたまもはねかえし、火炎放射器をあびても、なんともなかった。

「どんな武器でもだめだ。おとし穴をほれっ」

警官たちは、大急ぎでおとし穴をほった。計略どおり、ロボットはおちた。だが、だめだった。おちたロボットは、ほかのロボットの助けで、かんたんに穴からはいだし、しかも、その穴をうめてしまったのだ。

「とてもだめだね、おとうさん。だけど、あのロボットたちは、なにしに地球へやってきたのだろう」

「わからん。もしかしたら、どこかの星の連中が、地球を占領しようとしているのかもしれない。ロボットは、あとからくる連中のために、着陸する基地を作っているのかもしれん。もし、そうだったら、たいへんだぞ」

エフのおとうさんばかりでなく、人々も、そのように考えて、あわてはじめた。警官たちは、なんとかして、ロボットが町にはいるのをふせごうとして、武器をかえるばかりでなく、太いつなをはったりしてみたが、どれも、ロボットのあばれるのをとめることはできなかった。

またあらわれた円盤のこと

そのうち、ひとりが空を見あげてさけんだ。

「見ろ、また円盤があらわれたぞ。やっぱり、地球を攻めにきたのだ」

その円盤は、高い空で飛行をやめると、パラシュートをおとした。

「パラシュートにつりさげられているのは、爆弾かもしれない。あんな力の強いロボットを作るやつらだ。爆発力も、ものすごいにちがいない」

人々はにげまわった。エフたちも、家のかげに小さくなってかくれた。

そのさわぎの中を、パラシュートは、ゆっくりとおりつづけた。

パラシュートをおとした円盤は、こんどは、急降下をはじめた。そのたびに目もくらむような光線が発射され、あたったところからは、白くけむりがたちのぼった。

「もう終わりだ。あれには、手のほどこしようがない」

だが、円盤は、何回か急降下したあと、いつのまにか帰っていった。

「おい、おかしいぞ。あのあばれロボットがいなくなった。それに、ロボットのでてきた丘の上の円盤もなくなったぞ」

その声で、みんなも立ちあがりかけたが、あわてて身をふせた。パラシュートが地上におりるところだった。

円盤が残していったもののこと

人々は息をころしていたが、なにもおこらなかった。もう地上についたはずなのに、爆発もおこらなければ、けむりもでなかった。

警官の中から決死隊が選ばれ、おそるおそる近づいていった。

「それはなんだ」

無線連絡に決死隊は答えた。

「わかりません。大きな『缶』のようです。まわりに、記号のようなものが書いてあります。それを写して、ひとまずもどりましょう」

パラシュートにつけられた缶の記号が、学者たちによって研究されて、あばれロボットのなぞがとけた。

「わたしたちの星の地ならしロボットが、円盤にのせて送る途中、行方不明になったのです。調べてみると、地球に行ったことがわかりました。それで、追いかけてこわしたのです。これはおわびです」

缶をあけてみると、すばらしい宝石がつまっていた。このニュースを聞きながら、エフは考えた。

「ぼくも、あんな星に行ってみたい」

――「たのしい四年生」１９６１年12月号

被害

「電報です。起きて下さい」

夜ふけのドアをたたく音で、エル氏は目をさました。町はずれの小さな小屋のなかで、人とのつきあいもあまりなく、一人で暮らしているところに電報とは……。エル氏は目をこすりながら首をかしげた。

「ひとちがいだろう。だが、あけてやらないことには、うるさくて眠ることもできない」

こうつぶやきながら彼は起きあがってドアのカギをはずした。そのとたん、

「おとなしく手をあげるんだ」

という声とともに、二人の男が入ってきた。エル氏はいっぺんに目が覚め、心臓はとびはねながら胸のなかをかけまわった。足はふるえ、ガクガク音をたてた。

「い、いったい、どなたです」

「見ればわかるだろう」

エル氏の目には、二人の男は覆面をして拳銃を手にしていることが理解できた。

「強盗だな」

「その通りだ。おとなしく金さえ渡せば、すぐに引きあげてやる。それとも、手むかうか」

エル氏は強盗と知って、少し落ちつきを取りもどした。

「と、とんでもない。私は暴力ざたは大きらいです。しかし、私はごらんの通りのボロ家での一人ぐらし。金なんかありません。本当です」

「そうは思わんね。金を持っている奴に限って暮らしは質素だ。長年の経験で、おれたちの目には狂いはないはずだ。さあ探せ」

一人はエル氏に拳銃をつきつけ、もう一人は小屋のなかを家探ししはじめた。エル氏ははらはらしながらも、動くわけにはいかなかった。そのうち、声があがった。

「ありましたぜ、兄貴。すごい札束だ。手のきれるようなのが、こんなにあるとは思わなかった。やはり兄貴は目のつけどころがいい」

と、押し入れのなかからボール箱をひっぱりだした。

「どうだ。言った通りだろう」

兄貴と呼ばれた男はいささか、とくいそうだったが、その額が意外に大きいのには驚いたらしい様子だった。

「そ、それは困ります」

と、エル氏は手を振ったが、もちろん二人はやめはしない。

「困るなんて言わせないぜ。お前さんはさっき、金なんかありません、と言ったはずだ。それなら、おれたちがこれを持ってったって、文句はないはずだ。いやだと言ったって、おれたちはお前さんを殺してから持ってゆくこともできるんだぜ」

相手は拳銃をふりまわしながら、理路整然と述べたてた。エル氏はうらめしそうに横目で見ながら、

「ああ、それは私が苦心して、長い間かかって……」

「ぶつぶつ言うな。おれたちは金が欲しいんだ。悪く思うなよ」

「だけど、そんなことをしては、あとで必ず報いがありますよ」

「うるさい。おれたちに説教をするつもりか。さあ、早く札束をカバンにつめろ」

弟分らしいのは、顔をほころばせながら、カバンにつめるのを急いだ。こんな大金をいじるのは初めてらしく、その手はふるえているようだった。

「おい、お前はいやに金持ちだな。なんでもうけた」

と、兄貴分はエル氏に聞き、エル氏は口をとがらして答えた。

「あなた方みたいに、ひとから盗んだものではありませんよ」

「よけいなことを言うな。ところであとで警察に届けてもむだだぜ」

「はあ」

「おれたちは、ここには指紋をはじめ、なにひとつ証拠を残さない。アリバイの用意だってある。つかまえようがないのだ」

「はい、わかりました」

拳銃を前にしては、おとなしくしている以外になかった。そのうち、一人は札束をすべてカバンにつめ終えた。

「兄貴、すみました」

「よし、引きあげよう。あばよ」

二人はドアから出て、夜の闇に消えた。つづいて自動車の音がおこり、遠ざかっていった。エル氏はぼう然としていたが、やがて我にかえり、うれしそうに荷造りをはじめた。

「こう万事がうまくゆくとは思わなかった。では、こっちも証拠を残さず今夜じゅうに引っ越すとしよう。あの間抜けた二人がおれの身代わりに、とっつかまり、警戒がゆるんだら、またひとかせぎだ。あんな札束なんかいくらでも作れる」

と、エル氏はつぶやき、ニセ札印刷用の原版を荷物におさめた。

――「ぱぴえ（神崎製紙ＰＲ紙）」第7号（1961年12月30日）

宝の地図

「おーい、みんな。聞いてくれ。わしもいよいよ大金持ちじゃ。ついに捜しあてたんじゃ」

ここはグレイ・タウンの酒場。ウイスキーをのどにほうりこんで、老人が大声で叫んだ。それにつづいて、人びとの歓声がおこった。

「そりゃあよかったな。ポールじいさん。こんどは何をみつけたんだね。銀かい、それとも……」

客のひとりが、笑いつづけながら言った。老人はウイスキーをもう一杯のみ、答えた。

「なんじゃ。わしの言うことを信じないのか」

「ああ、そうとも。じいさんのその話は、おれの覚えているのでも、これで九回目だ。いいかげんに、金鉱さがしなんか、やめたほうがいいぜ」

「なにを言う。わしはインディアンの宝がかくしてあるのを見つけたのじゃ。場所はここじゃ」

ポール老人は胸のポケットから地図を出して、ヒラヒラさせた。だが、だれもそれを見ようともしなかった。

「じいさん、やめなよ。その地図のしるしが、じいさんの採鉱道具の置いてある所だぐらい、だれでも知ってる。その手も、これで三度目だ」

老人はさびしげに口をつぐんだ。彼は一山あてようとして、長いこと西部をうろつき、それでとしをとってしまったのだ。あてどもなく山々を歩きつづけてきた。しかし、年月と苦労だけは重ねたが、まだ、目ぼしい物を、何ひとつ見つけたことがないのだった。

そして、ポール老人は、月に一回ぐらい、グレイ・タウンにむなしく帰ってくる。そのたびに、「ついに見つけた」と叫ぶのだ。

話し相手もなく、何日もすごしてきたのだから、大声をあげたくなるのもむりもないし、人の注意をひきつけたくて、その叫ぶ内容が景気のよい話になるのも、しかたなかった。

だから、人びとも今では、老人のホラにもなれっこだった。採鉱道具をおいた目印の地図を出しても、だれもその手にはのらなかった。

「だれも信用せんのか。では、わしはいっしょに喜んでくれる連中のいる所へいって、飲むとするよ」

「だけど、じいさんの話を聞いて、信用するやつは、この町にはいないぜ」

「なんとでも言え」

老人は勢いよくドアから出た。

だが、そのとたん、そとを歩いていた若いふたりの男にぶつかってしまった。

「おい、じいさん。気をつけろ」

そのふたり組は目つきもよくなかったが、声にもすごみがあった。老人はあわてて答えた。

「いや、すまん。実はやっとのことでインディアンの宝を見つけたので、うれしくて、つい飲みすぎてな。かんべんしてくれ」

老人は胸のポケットからまた地図を出し、それをヒラヒラさせながら、あっけにとられているふたりから離れ、となりの酒場にはいっていった。

ふたり組はそれを見送っていたが、

「おい、いまの話を聞いたか」

「聞いたとも。いい話だ。おれも、このへんには何かうまい話がありそうな気がしたが、ついたとたん、こう簡単にぶつかるとはな」

「ところでどうやって巻きあげるか」

「あの老人ならひとりの所をねらえばわけはない。ひとまずホテルにひきあげ、出てくるのを見張っていよう」

ふたりのとまっているホテルは、老人のはいっていった酒場のむかいにあった。ふたりは室(へや)の窓から、交代で見張りをつづけた。そのうち、ひとりが叫んだ。

「おい、やっと奴(やつ)がでてきたぞ」

「そうか。よし、あとをつけるんだ」

ふたりは馬にのり、町を出た老人のあとをつけた。

「まったく、うまい話だ。この所、うまいもうけがなくて、おもしろくなかった」

「おれもだ。きのうは金に埋まった夢を見たが、こう早く実現するとはな」

「どうだ。ここらで襲うか」

ふたりは馬の足を早めた。老人はその音に気がつき、ちょっとふりむきはしたが、べつに逃げようともしなかった。そして、たちまちふたり組に追いつかれた。

「おい、じいさん。待ちなよ」

老人はにこにこして答えた。

「やあ、さっき酒場の前にいたかたじゃな。あのときは失礼した。これからどちらへ」

「行き先はじいさんに聞くつもりだ」

ふたり組はピストルをつきつけた。

「なんじゃ、それは。わしは金目のものは持っていないぞ。どういうわけじゃ」

「今は持ってなくても、かくし場所にはあるはずだ。インディアンの宝がな。そこに案内してもらおうというわけさ」

老人はあわてて手を振った。

「ま、待ってくれ。実はあれはでたらめなんじゃよ。いつも話し相手もない山歩きなんで、町へ行ったときぐらい、ホラが吹きたくもなるじゃないか」

だがふたり組はそのことばを、教えまいとする意味にとった。

「ごまかすな。さあ、場所を言え」

ピストルは轟音(ごうおん)をたて弾丸は老人をかすめ、地面で土ほこりをあげた。

「いや、弱ったことになったわい。だれも信じてくれぬ、わしの冗談を、やっと信じてくれる相手にであったら、こんなことになるとは。だが、冗談と証明するのもむずかしいな」

「おい。何をブツブツ言っている。言いたくなければ言わんでもいい。その胸のポケットの地図さえいただけばな」

ふたりの馬は老人の馬の両わきに迫り、老人のポケットから地図を抜いた。

「これさえいただけば用はない。だが、保安官に報告され、追手が来ても困るから、この馬はもらって行くぜ。じいさんは歩いて帰るんだ。町へつくころには、われわれは宝を手に入れて遠くに逃げていられる」

ふたり組は老人の馬をつれ、地図にしるしをつけてある地点に急いだ。

「おい、あのへんらしいぞ。ほら穴がある」

「ああ、きっとあのなかにちがいない。さあ、インディアンの宝を持ってずらかろう。こう簡単に手に入るとは。薄気味わるいぐらいだ」

ふたりはほら穴のそばで馬をとめ、ピストルをかまえながら、なかをのぞいた。だが、穴はそう深くはなかった。

「なにかあるか」

「小さなトランクがある。あのなかに入っているわけだろう」

「開けてみろ」

だが、そのトランクにはカギがかかっていた。

「よし、ピストルでカギをこわそう」

カギの部分に狙いがつけられ、引金が引かれた。

とぼとぼ歩きながら、ほら穴の近くまできた老人は一目見て大声をあげた。

「や、やったな。トランクのなかにあった採鉱用の火薬を爆発させたな。だが、なんでこんなことになったのだろう」

そして、首をかしげながら、爆発で崩れた穴に近づいたが、さらに声を高めた。

「金だ。金の鉱石だぞ」

爆発のため、かくれていた鉱脈があらわれ、金色の光を放っているではないか。ポール老人はへなへなとすわりこんだ。

「こんなぐあいに見つかるものとはな。さっきのふたりには礼を言わねばなるまいが。鉱石に埋まって死んでしまっては」

老人はふたりの死体を掘りだして馬につみ、保安官に報告すべく町にむかった。

「やれやれ。わしはやっと金鉱をみつけた。だが、だれも信じてはくれまいな」


――「English Phone」１９６１年№５

インタビュー

「どうですか、この世に生まれてきてのご感想は」明るい日なたで、オモチャのトラがそっとささやいた。

「ぼくは楽しくてしょうがないよ」と、赤ちゃんはきげんよく笑いながら答え、トラは気づかわしげに問いかえした。

「そうですかねえ」

「だって、未来には、いいことばかりらしいよ。ぼくがオトナになるころには、生活はずっと向上し、病気はなくなり、宇宙旅行もできる。それに、女の人はみんな美人になっているそうだよ」

「そんなこと、なんで知ったんです」

「さっきテレビでやっていたよ」

「だけど、いやなことだって起こるかもしれませんよ」

「たとえばどんなこと」

「戦争ですよ。戦争が起こったら、なにもかもおしまいです」

「そうらしいね。だけど、その話しあいはついたんだろう。つくはずさ。罪のないぼくたちを巻きぞえにするほど、世の中はひどくないはずだよ」

「その話はダレから聞いたんです」

「ダレもいってないけど、きっとそうだと思うんだ。このところ、みなの顔が急にのんびりして、おめでとう、と声をかけあっているじゃないか」

「ああ、それはお正月だからですよ。すぐにもとにもどります」

「その、お正月ってなんのことだい」

うまれてまもない赤ちゃんはお正月という風習がなかなかのみこめなかった。

――「産経新聞」1962年1月3日

お正月

　窓からさしこんだ朝の光が、壁の新しいカレンダーの上にもひろがった。

「や、きょうは元日だったな。わしがいくら研究熱心だといっても、きょう一日ぐらいは休むことにしよう」

　エヌ博士はこうつぶやいた。彼は一年の大部分をこの研究室ですごし、ロボットの製作に熱中していた。だが、なかなか完全なものはできず、現在の段階ではそばにおいてある、手足が少し動く程度のものだった。博士はそれに呼びかけた。

「おい、今年はお前をもっと改良してやるぞ。少なくとも人間なみにしゃべれるぐらいにはな」

　ロボットはうなずき、ギイギイと金属的な音をたてた。博士はその首に油をさしてやり、

「さてと。わしはちょっと年始まわりをしてこよう。一年じゅうのごぶさたを片づけてくる。お前はるす番をしていてくれ」

ロボットは首をかしげたが、こんどは音は出なかった。

「なにも心配することはないぞ。そうだ。お前をわしの身がわりにしておこう。万一、だれかがたずねてきた時のためにな」

博士は録音テープに「おめでとう」と吹き込み、ロボットの頭に入れた。それから、プラスチックでかねて作っておいた、自分の笑い顔そのままの仮面をかぶせ、服を着せた。

「これでだいじょうぶだ。お客がきたら右手をちょっとあげて、おめでとう、と言ってくれ。きょうはそれで用がたりるはずだ」

エヌ博士は自分そっくりのロボットをいすにかけさせ、外出していった。

しばらくすると、ドアをあけて一人の青年がおそるおそる入ってきた。

「先生。新年おめでとうございます」

「おめでとう」

と、ロボットは軽く右手をあげ、博士の声を出した。青年はもじもじしていたが、博士の珍しくきげんのよさそうな表情に力を得て、やがて思いきって話し出した。

「じつはお願いがあるのです。先生のお嬢さんと結婚したいのですが……」

「おめでとう」

「えっ。とてもだめだと思っていましたが、お許しいただけるとは。こんなうれしいことはありません」

踊るような足どりで出てゆく青年を、ロボットはニコニコして「おめでとう」と見送った。

こんどは荒々しい足音をたて、人相のよくない三人の男があらわれ、こうどなった。

「おい。おれたちは強盗だ。しかし、去年はいっこうにいいかせぎがなかった」

「おめでとう」

「そこで、今年は手はじめに、博士の研究中のロボットを盗もうと考えついたのだ」

「おめでとう」

「さあ、早く渡してもらおう。いやだと言わせないため、こういう物を持ってきた」

三人はピストルやナイフなどをポケットから出し、つきつけた。しかし、ロボットは、

「おめでとう」

と、右手をあげ、ニコニコした表情のまま答えた。三人組はしだいに薄気味悪くなりはじめ、顔を見あわせてささやいた。

「さすがにエヌ博士だ。落着きはらっている。何か考えがあるらしい。それとも、研

究に熱中しすぎて頭がぼけたのかな。だが、いずれにしろ手に入れることはむりなようだ。いいかげんで引きあげたほうが賢明だな」

「おめでとう」

彼等は退散した。夕方になってもどってきた博士は、ロボットに話しかけた。

「ごくろうだった。るすちゅうは何もなかったようだな。まったく元日という日はニコニコして、おめでとう、と言ってさえいれば、すべて用がたりる。一年じゅうがきょうのような平和な日だと、どんなにいいだろう」

「おめでとう」

――「朝日新聞」1962年1月7日（夕刊）

白い粉

「おい、うすのろ。ボスがお呼びだ」

おれが床(ゆか)の拭掃除(ふきそうじ)をしていると、社長室から出てきた兄貴分が、こう呼びかけてきた。

「うすのろなんて呼ばなくても、いいだろうと思うがな。おれにだって、ちゃんと名前がある」

と、口のなかでブツブツ言ってみたが、そんなことは通用しない。

「つまらんことを気にするなよ。本人さえ立派なら、呼び名なんて問題じゃない。ナポレオンだって子供のころは、おやじにガキと呼ばれていたし、楊貴妃(ようきひ)だって寝室では、亭主にこの甘ちゃんと呼ばれていたんだ」

「楊貴妃って酒の名前でしょう。ナポレオンて何です」

兄貴は処置なしといった表情をしながらも、答えてくれた。

「やはり酒の名のようなものさ」

おれは小学校を途中で追い出されてしまったので、知らないことが多いが、兄貴は学があるから、いろんな隠語を知っている。

「だけど、ボスがなんの用なんだろう」

おれは少し心配になった。くびにでもなったら、どうしていいかわからないのだ。

「大きな仕事だぜ。これにはお前が最適任だと、おれがボスにすすめたんだ。しっかりやれよ」

兄貴は親切だ。おれは雑巾をバケツに投げ入れ、ズボンの尻で手を拭いた。

ここは港近くの小さなビル。みながボスと呼ぶ社長は貿易のような仕事をやっている。それがどんな仕事かはわからないが、この不景気にも金まわりがとてもいい。

おれはびくびくしながら社長室に入った。社長室はいつも豪華な雰囲気にみちている。ふっくらした皮張りの椅子にかけた、ふっくらした社長は、金ぶちの眼鏡ごしにおれを見て、こう言った。

「やあ、うすのろ。お前をみこんで、たのみたい仕事ができた。ちょっと届け物をしてもらいたいのだ」

「はあ。いっしょうけんめいやります」

「そうむずかしいことではない。この地図に書いてある家に、あの包みをとどければいいのだ」

ボスはおれに紙きれを渡した。少し遠くはあったが、わかりやすい道順だった。ボスのそばでは、兄貴が白い粉の入ったビンをハトロン紙に包みはじめていた。

おれはそれを見て、胸がおどった。うちの会社で扱っている品物のうちで、あれがいちばん金目のものであることは、今までになんとなく気づいていたのだ。おれの信用が増したのだ。たしかに兄貴の言う通りだ。うすのろと呼ばれようが、何と呼ばれようが、上役に信用されれば問題ではない。

「たのむぞ。どうもこのごろ、途中に邪魔が入って困っているのだ」

「大丈夫です」

おれはポケットから手拭い（てぬぐい）を出し、覆面をしようとした。だが、ボスは苦笑いしてとめた。

「それほどまでにしなくてもいい。お前の顔は目立たないからな。だが、ひとにとられないよう、よく気をつけてくれ」

おれはその包みをしっかりと握り、ビルを出た。子供の時にお使いにやらされたことを思い出した。はじめての大仕事なのだ。

おれはあとをつけてくる者を警戒した。何度もうしろをふりかえり、また、左右にも気をくばって慎重に歩いた。だが、ふいに力強い手で、おれの肩が押さえられた。

「おい、ちょっと来てくれ」

逃げようとしてもむだだった。その強そうな若い奴のため、おれは人気のない公園のベンチに連れてこられてしまった。

「はなして下さい。大事な用で急ぐんです」

「こっちも用がある。その荷物にな。白い粉だろう。お前はあのビルから出てきた」

おれはつけられていたはずがないから、うそをついた。

「ちがいますよ」

「ごまかしてもだめだ。ちゃんと見ていた。うしろと横ばかりキョロキョロ見ていたから、前にいたおれに気がつかなかったのだ」

「そうだったのか」

おれは自分のうすのろが悲しくなった。

「お前はどこか抜けているな。すると、その品は考えている物とちがうかもしれぬ。調べさせてもらうぜ。ちがってたら返してやる」

「早くして下さいよ。道草をくってたら、ボスに怒られちゃう」

ボスという言葉に、相手は目を輝かし、乱暴に包みの紙を破いた。

「大切なものですから、ていねいに扱って下さい」

だが、相手はそれどころか、ビンの栓までとってしまった。そして、おれが見ていると、薬指をビンのなかにつっこみ、なかの白い粉をつけ、それを舌の先に移した。

「どんな味がします」

と、おれは少し好奇心を抱いて、聞いてみた。

だが、相手の男はそれに答えてくれなかった。答えてくれる前に、

「うっ」

とかいう叫び声をあげ、顔を苦しそうにゆがめ、胸をかきむしりながら倒れてしまったのだ。

おれは目をおおいたくなった。なぜなら、それと共に奴が投げ捨ててしまったので、せっかくのビンが割れ、中味が飛び散ってしまったのだから。

おれは泣きたくなった。子供の時に酒屋にお使いに行った帰りに、酒のビンを落して割ってしまったことを思い出した。あの時はおやじに怒られるのがいやで、夜まで家に帰らなかったものだ。だが、ほかに行く所はなく、とうとう家に帰ってしまった。

今のおれも、その時と同じだ。ボスがせっかく、おれに命令してくれた仕事なのに、おれはやっぱり失敗してしまった。だが、ほかに行くあてはない。

おれはすごすごとビルにもどった。ボスはきっとすごく怒るだろうが、おれは正直にわけを話し、あやまった。ボスは腹の太い、えらい人だ。

「いいんだ。失敗はだれにもある。これから気をつけてくれればいい」

おれはホッとした。大切な白い粉をだめにしてしまったのに、ボスはちっとも怒らない。ほかの会社だったら、すぐにくびになる所だろう。

兄貴とボスは、

「うまく行きましたな。これからは本物を運んでも、しばらくは邪魔しようとする奴はでてこないでしょう」

と、うれしそうだった。おれはなんだか薄気味悪くなったので、

「こんどからは気をつけますから、くびにだけはしないで下さい」

と、たのんだ。おれのような者を使ってくれる所は、ほかにはありはしないんだ。

すると、兄貴はこっちをむいて言った。

「くよくよするな。お前はいい奴だよ、うすのろ」

――「週刊サンケイ」1962年3月12日号

夢みたい

静かな森のなかの小道。大きな樹の下にいる坊やを見つけて、カスパーは声をかけた。

「ねえ。いっしょに遊ぼうよ」

「だめ。ぼくはいま、眠いんだから」

と、坊やは目をつぶったまま答え、軽い寝息を立てはじめた。カスパーはつまらなそうな顔になりしばらくそばに立って、見つめていた。

カスパーは、森に住む幽霊の子供。かわいらしく人なつっこい。大人の幽霊たちは夜中に外出するが、カスパーは昼間に遊ぶ。

カスパーが眺めていると、坊やが夢を見はじめた。だが、楽しい夢ではなく、こわい怪物に追いかけられる夢だった。カスパーはしばらく、その坊やの夢を見物していたが、突然、夢のなかに飛びこんで、怪物を夢から引っぱり出した……。

「どうだろう。こんな小説は」

と私が聞いたが、友人は首をかしげて答えた。

「さあ、どうもね」

「いや、これは僕のではなく、アメリカのものの紹介なんだ」

「そうか。どうりで気がきいていると思った。さすがは……」

友人は急にほめ出したが、私が、

「これはアメリカで人気のある子供漫画シリーズ『カスパー』の話の一つなんだよ」

と言いたすと、

「そうだろうな。どうも、子供っぽいと思った」

と、また首をかしげはじめた。

「もちろん、子供っぽいのは仕方ない。しかし、主人公に、かわいい幽霊の子供を登場させたアイデアは気がきいているよ。毎回、奇想天外な事件をまきおこすが、この話は特にすぐれていた。ひとの夢をのぞき見するぐらいのことはある程度のＳＦ（空想科学小説）作家なら考えつくが、その夢のなかの怪物を引っぱり出すとなるとても考えつけるものじゃないよ」

「そう言われると、そうだな。どうだ、これを焼き直して、小説に書いたら」

「おいおい、悪事をそそのかしてはいかんよ。だが、焼き直しを試みるとしても、このような空想の飛躍を面白がる読者が、果して、どれくらいあるだろう。アメリカの評判作を盗作して、日本の雑誌社でボツにされる。こんなテーマの小説でも、書くほうがよさそうだ」

「たしかに、われわれのまわりには、空想の飛躍した作品がほとんどないな」

「ああ、子供の漫画をのぞいてもグワーという字が大きく書いてあるだけのが大部分だ。大人用のもご同様。たまに異色の作家というキャッチ・フレーズで新人の作が雑誌にのり、これはと思って読んでみても、ちっとも異色ではない。題材はセックスと暴力と金銭で、それをどぎつくしただけだ。もちろん、手法や描写の点では新しい、すぐれたものもあるが、題材の点では、あまりに現実的で想像力を刺激するものが少しもない。なぜだろう」

「さあ。だれもが現実的で、利益にならないものは、読んでも損だと思っているんじゃないだろうか。現実的な小説なら、少しは何かの役に立つ」

「そうかな。たまには現実をはなれ、頭を休めたほうがいいと思うがな。また、空想は利益につながらないと言うが、科学の発達などは、とんでもない空想を可能にしようとして努力したところから生まれたのじゃないか。空想がなければ、すべての進歩はとまる」

「夢の開発を怠ってはいかん、というわけだな」

「そうだ。だが、これくらい、労多くして、功少いものもない。政府が補助金を僕にくれないだろうか」

――「MEN'S CLUB」1962年5月20日号

正確な答

「いかがでしょう。これがこんど新しくわが社で完成した電子計算機です」

大きな装置のそばに立って、技師はとくいげに、また、いんぎんに言った。

「うむ。ずいぶん大きいものだな。今までのより、ひとまわり大きいようだ」

こう言ったのは、R生命保険会社の社長だった。彼はあまりすすめられるので、一度その実物を見ておこうと、ちょっと立ち寄ったのだった。

もちろん、R生命には電子計算機があったので、買うか買わないかは、まだきめてなかった。

「大きさばかりでなく、能率だって一段とよくなっております」

と、技師は身をのりだした。

「しかし、すでに一台あるのだからな」

「そうではございましょうが、ほかの競争会社が先にこれを買いますと、差がぐんとついてしまうでしょう」

「どんな点で能率がよくなっているのだ。わしはくわしいことはよくわからん。わかりやすく、要点を説明してくれ」

「第一に、計算の時間が早くなっています。しかし、それはたいしたことではありません。操作がたいへん簡単になりました」

「たとえば？」

「はい。今までのですと、計算させる問題は、穴のあいたカードに作って入れてやらなければなりませんでした。また、答も穴のあいたカードで出てきました。それがこれでは、タイプで打った字を入れるだけでいいのです。しかも、計算だけでなく、あらゆる問題に答えてくれます。ここが最大の特長でしょう」

「どんな問題もだと？」

と、社長は少し興味を示した。

「はい。学問のあらゆる分野における研究を記憶させてあります。その範囲内でしたら、たちどころに答えてくれます。もっとも、光より速く動くにはどうしたらいいか、といった現在の科学で未解決なことは答えられません。しかし、既知の科学でわかっていることは、それを綜合(そうごう)して正確に答えてくれます」

「なるほど」

社長は感心したようにうなずいた。技師はすかさず言いたした。

「どうです。なにか質問してごらんになりませんか」

「そうだな……」

社長は首をかしげた。とっさに、なにを聞いたものか思い浮かばなかったのだ。すると、技師はそばの机の上にあった百科事典を持ってきた。

「ここに書いてあることは、全部教えこんであります。質問をしてごらん下さい」

社長はそれを受取り、勝手な頁(ページ)を開いた。そして、そこにあった《マラサス》という字を指で押さえ、

「では、ためしにこれを聞いてみてくれ」

と言った。技師はそれをタイプで打ち、細長い穴に押しこんだ。

すぐに装置のなかで、雨だれのような音がはげしくおこり、べつな穴からタイプされた紙が送り出されてきた。

《ビザンティン帝国の歴史家。アンティオキアに住んでいたシリア人で……》

と、百科事典そのままの文句が書かれてあった。

「すごいものだな。全部覚えこんでいるとは」

電子計算機をあらためて見直し、社長は感心したようすだった。すると技師は、

「この程度なら、人間にだってできます。そう感心なさることはありません。しかしこれらの知識を綜合し、たちどころに答えてくれるということは、この装置でなくてはできないわけです。なにか質問してくださるといいのですが」

社長はしばらく考えていたが、やがて思いついたようすだった。

「それでは、いちばん役に立たない生物というものを聞いてみてくれ。それとも、すでに聞いてみたかね」

「いえ、その質問は聞いてみたことはありません。しかし、なんでそんなことをお聞きになるのです」

「それはだな。われわれの生活をさらに向上させるには、どんな動植物を退治したものか知りたいからだ。わが社の方針でもある人びとの生活向上に、どう手をつけていいかの参考にもなる」

「わかりました。やってみましょう」

技師はその質問をタイプにし、穴に入れた。機械の音がちょっとおこったが、すぐにやんで、一枚のカードが出てきた。

「もうわかったのか。早いな」

社長は感心したが、そのカードを取りあげて首をかしげた。

「どうなさいました。正確な答のはずですが」

技師は自信を持っていた。

「どうも変ではないか。信用のおけない機械だぞ。こんなめちゃめちゃな答を出した。読んでみろ」

技師が渡されたカードには《人間》と書かれてあった。

「人間と出ましたね」

「みろ。おかしいではないか」

「しかし、機械は正しいはずなのですが。では、その理由を聞いてみましょう。この計算機は単に答を出すばかりでなく、その理由を聞くと、それについても答えてくれるのです」

技師はさらにタイプにむかいカードを作り、その理由を答えるように機械に指示した。またもカチカチという音がおこり、カードが吐き出されてきた。それは一枚でなく、数秒ぐらいおいて、つぎつぎと送り出されてきた。

二人は待ちかねたように、それをのぞきこんだ。最初の一枚にはこうあった。

《人間の肉は、食料としての役に立ちません》

「なるほど、そういえばそうも言える。百科事典にはこのことは書いてないからな」

つぎの一枚にはこうあった。
《力仕事では牛や馬に劣ります》
カードはつぎつぎと理由をのべた。
《人間は自然界の最大の破壊者です》
《人間のすることは、かわいげがありません》
《どうも人間は……》
「いいかげんにしろ」
と社長は叫び、技師は困ったような表情で黙ったままだった。
「わしは人間の生活を高め、生命をのばすための事業に努力している。その会社にこんな機械を置くわけにいかない」
「しかし、まあ、なにぶん機械のことですから……」
技師はなんとかとりなそうとしたが、うまくゆかなかった。
「よし、ここまできたら、とことんまで聞いてみることにする。いったい、この地球上において、最もくだらないものは何だ。それに答えてみろ。人間か」
技師はそれを機械に聞き、答はすぐに出てきた。
《人間ではありません》

「それでは何だ」また、答が出てきた。

《地球上で最も役に立たない生物、人間のために奉仕するように作られた最大のもの、この電子計算機です》

――「婦人画報」1962年9月号

ゼリー時代

地球から招かれて、遠い星からはるばるやってきた、宇宙人エックス博士曰く。

「ふむ。わしの知恵をかりたいというのだな。どんな問題じゃ」

「はい。世の中をもっと、なごやかにする方法はないものでしょうか」

「うむ。ないこともない」

「で、その方法とは？」

「地球人のからだは、ゴツゴツしすぎているようだ。それをなおせばいい。わしは薬を用意してきた。これをかければ、なんでもゼリー状になる。ちょっと実験をしてみようか」

「あ、ニワトリを追いかけるネコ。それを追う犬。たちまちみなゼリー状になりましたね。しかし、人間に応用したとき、どんないいことがあるのですか」

たとえば交通巡査だ。頭が一つで二つの流れをさばこうとするからむりがでる。頭を二つに分け、一方で車を監視し、もう一方の頭で歩行者にさしずすればいい。

「もしもし、横断は信号が青になるまで待って下さい」

「おっと、ついうっかりしていました。すみません」

これはある家庭のご婦人。電化製品がひと通り揃ったので、手などはなくてもよくなった。しかし、そのぶんだけ口と舌が発達した。お喋りはとめどがない。

「……そうそう、あなた。坊やがイタズラをしたって、お隣りから文句がきたわ。おとなしくするように、あなたからよく言いきかせてちょうだい……」

そのご亭主。

「やれやれ、いやな役目だな……いいかい、坊や。おまえの学校の成績は良い。その点でお父さんも鼻が高い。だが、あまりイタズラをするとだな……」

「ごめんなさい、お父さん」

ゼリー状になった人は、やわらかい食事をとるようにすること。今までのようなつもりで、オニギリなどを勢いよくのみこんだりすると、ノドにつかえて、目を白黒させるようなことになる。

プロレスの試合。エイッとばかりに投げ飛ばしても、相手は平気だ。痛くもなければ、ケガもしない。教育上の害がなくなったかわりに、面白さもいささか少くなったようだ。

エックス博士「どうじゃ。ゼリー・エイジも悪くはなかろう」

「どうでしょうかねえ」

「なに、すぐになれるさ。とくに若い女の子は、何にでもすぐ順応する。みたまえ。トレアドール・パンツをはいて、うれしそうに新しいリズムを踊りはじめているではないか……」

――「カメラ芸術」1962年12月号

万一の場合

ガソリン・スタンドの女主人は、言われた通りに応待した。そうしなければ、さっき侵入してきたこの強盗たちに、なにをされるかわからない。

「すみませんけど、今夜は終りですわ。あたし一人ですし、それに寒さのせいか風邪をひいてしまって、早く寝なければなりませんの」

そとの男はあきらめて車に戻り、行ってしまったようだった。強盗はすごみのある声で命じた。

「よし、おとなしくしていれば、手荒なことはしない。さあ、売上げの現金を渡せ」

女主人はこばむことができなかった。ああ、いまの男がなにかを察して、助けにきてくれるといいのだけれど……。

スポーツ・カーは三十メートルほど走って、停車した。なかの女は、待ちかまえていたように聞いた。

「どうだった？　いまの店のようすは」

「襲うには絶好だよ。静かで、女ひとりしかいないらしい。子供からオモチャを取りあげるようなものだ。さあ、行こう。おれがおどすから、おまえは金を奪うんだ。いつもの調子でな」

「なかには、女の人のほかに、いないんでしょうね」

「いないらしかった。だが、用心のために、お前も拳銃(けんじゅう)を持って行け。さわぐ奴(やつ)があったら、すぐにぶっぱなせ」

強盗の一人は拳銃をつきつけ、女主人にだけ聞こえる低い声で命じた。

「なんだ、また客か。さっきのように、うまく追いかえすんだ。悲鳴などあげるなよ。大声をたてたりすると、入ってきた奴もろとも、おまえも殺す」

そとの男は拳銃をかまえ、女主人にだけ聞こえる低い声で命じた。

「さあ、静かにここをあけて、なかにいれろ。大声をたてたりすると、ガラス越しにうつぞ」

双方から大声をあげるなと念を押されたが、女主人にとっては、悲鳴でもあげるよりほかに、どうしようもなかった。

しかし、賢明なる女主人は、悲鳴をあげるついでに、柱のボタンを押していた。

彼女は四発の銃声を聞き、あたりが再び静かになった時、はじめて足の痛みを感じた。

「ああ、痛い。でも、足をくじいたぐらいは仕方ないわ。とても助からないところだったのですもの。ほんとに、落し穴を作っておいてよかったわ。女ひとりで店をやって行くのだから、万一の場合にそなえて作ったのだけど、まさか、こんなぐあいに役に立つとは、考えもしなかったわ……」

――「婦人公論」1963年1月号臨時増刊

妙な生物

青空からの雫(しずく)かのように、静かに下降する宇宙船のなかで、ロラ星人たちが話しあっていた。

「さあ。すべてを一時的に眠らせてしまう麻酔ガスを撒(ま)き終った」

「このあたり一帯は、武器なしでゆっくりと、植民地化のための調査ができるわけですね」

着陸した一行は、安心して歩きまわった。

「あ、あそこに妙な生物がいます」

だが、近よっていじっているうちに、それは突然うなり声をあげて、盲滅法に暴れまわりはじめた。一行のうち、数名が負傷するしまつだった。

「危い。とんでもない生物だ。麻酔はきかないし、まるで気ちがいだ。早く引きあげよう」

宇宙船は再び上昇し、去っていった。

道ばたの草むらのなかで、目をこすり、あくびをしながら、少年がつぶやいた。

「ちょっと眠っているうちに、いたずらをされたらしい。あんな所に動かされてしまった」

少年は倒れているオートバイを引き起こし道を進んだ。彼はまさに、自分のまたがっているこの愛車が、宇宙人を撃退したとは、知りもしない。また、こんな話を信じたがらない人も多い。しかし、真相とはすべて、このようなものなのではなかろうか。

——「別冊宝石」118号（1963年5月）

空想御先祖さま　それはＳＴ・ＡＲ博士

円光霊道という妙な名の会がある。霊媒なのである。まだそれほど有名ではないが、熱心な信者が多い。私はなかば好奇心、小説の取材をかねて訪れてみた。

その霊媒は中年すぎのやせた男だが、私に「あなたには祖先の霊がついている」と言った。時どき肩がこるのは、そいつが乗っかっているせいかもしれないと思い、話をしたいから取りついでくれ、とたのんだ。霊媒は祈りつづけ、神がかり状態になり、私の祖先の声と変った。

「なにか用か」

「ご先祖様が私についているとは知りませんでした。いつごろのご先祖でしょうか」

「おまえから、ちょうど二十代まえだ」

「どのような生活をなさっていたのか、お話しいただけませんか」

「いいとも。ロケットを操縦し、宇宙の星々をめぐった。わしはＳＴ・ＡＲ博士。学術調査隊の隊長だった」

「冗談はいけません。先祖は頭がおかしかったのかな。そんなむかしに……」

「事実だから仕方ない。わしは星々の調査報告書を作る時に、虚実をとりまぜ、面白く仕上げた。人びとは喜んで読んでくれたが、あとでそれが発覚し、怒った宇宙省の役人は、わしに刑を科した。二八四六年のことだ」

「どんな刑罰だったのですか」

「タイム・マシンによる過去への追放だ。だが、わしと過去の連中と話のあうわけがない。平家の落武者と称し、山奥の小屋で悶々と余生をすごさなければならなかった」

以上のごとき会話をかわすことができた。思いが残って成仏できず、魂がずっと子孫にとりついているにちがいない。

帰宅してから、ふと考えついたことだが、どうも彼は私の子孫ではないかという気がしてならない。小説よりも奇というべきである。あなたは信じますか。


――「アサヒグラフ」１９６４年２月28日号

オリンピック二〇六四

「きょうはオリンピックでも見に行くとするかな」

「あら、うちの立体カラーテレビで見物すれば、同じことじゃないの」

「いや、たまには大勢の人といっしょに、にぎやかに見るのも面白いと思うよ」

「じゃあ、あたしも行くわ。だけど、どこでやっているの。東ヨーロッパの国だったかしら」

「いや、それは去年だ」

二〇六四年。オリンピックは毎年開かれている。平和がつづき、世界が驚異的に繁栄したおかげでもあるが、大きな理由はほかにある。IOC加盟国は百数十カ国。四年に一回の割りでは、五百年後でなければ自国で開催できぬ国もある。この解決のためだ。しかし、それでも不満は残り、まもなく年に二回となるらしい。

旅行サービス社に電話すると、数分後にヘリコプター・タクシーが迎えに来た。それで空中ステーションへ、そこから大型ロケット機。約三十分後には開催地である、南米の海ぞいの都市に着いた。交通機関の発達は、宿舎の混雑を解消した。選手も観客も、このように大部分は自宅から出かけてくる。

各国の旗で飾られ、はなやかな色彩の陸上競技場の入口では係員が質問する。

「お席は上段と普通と、どちらになさいますか」

「普通がいい」

「では、こちらへ」

椅子にすわると、そのままベルトコンベヤーで運ばれ順に観客席へと送られる。スタジアムの形は百年前のとあまりちがわない。この種の建物にはギリシャ・ローマ時代の円形劇場以来、根本的な変化はみられない。もっとも、上部をドーム状の透明な屋根がおおっている。人工晴天の作れる時代だから、これは雨への対策ではない。内部を適温適湿に保ち、また追風、むかい風の問題をおこさないためだ。海抜の高い地方では、空気の圧力を少し高くする。

このドームにも観客席がもうけられている。上段席だ。ここから見おろすと、サッカーやトラック競技など変った面白さが味わえるが、走高とびのたぐいはちょっと困る。なお、スタジアムは強力プラスチックを材質とし、組立式になっている。閉会になると分解し、次回の開催地へと送られるのだ。

場内に、円筒形の容器がいくつも運ばれてきた。このなかに選手が入っている。一時間ほどで、各人を最良のコンディションに仕上げてしまう、精巧な医学的装置である。肉体的な条件ばかりでなく、精神的な暗示も与えてくれる。緊張でかたくなっている者はときほぐし、弱気の者は闘志をかきたててくれるのだ。これを採用して以来、負けたあとで「じつは調子が悪かったのだ」などと、泣きごとを言う者はでなくなった。

容器が開き、なかから選手たちが現れ、スタートについた。観客席に湧きあがる大きな歓声。だがこの声は、選手の耳には入らない。肉眼ではわからないが、競技場と観客席との間には透明な膜が張られてあるためだ。下品な弥次や物を投げ込む行為を防止するためではない。かつて、自国の選手を勝たせようとし、他の選手の脚をめがけて麻酔光線を発射した客があったからである。

しかし、膜の内部の音は拡大されて伝わってくる。合図のピストル、地面を蹴ったり、激しい息づかいをする音も聞える。また、集音機で槍や円盤が空気を切る音も大きくなり、雰囲気が盛上げられるのだ。なお、入賞者の表彰、国旗の掲揚、国歌の演奏はすべて、古式にのっとっている。

興奮は高まり、片隅の席でごたごたがはじまった。「静かにしろ」と「応援して何が悪い」とやりあっている。それぞれの支持者がまわりにふえ、不穏な情勢になってきた。それを見た係員は、あわてることなくボタンを押した。鎮静作用を持つガスが客席にみちて、さわぎはすぐにおさまった。

「水中競技も見てみましょうよ」

「そうだな」

陸上、水上のほかに、水中という種目もある。海底資源の開発、海中観光の普及などにともなって発達した競技だ。アクアラングをつけ、ラグビーに似たゲームが争われるのである。また、イルカにまたがった馬術のようなものもある。色とりどりの照明が当てられ、眺めていても美しい。海のない国では、ビルディングのような透明プールで行われるが、今回は海中。観客は硬質ガラス製の、小さな球形の潜水船に乗り、思い思いの場所で見物する。

「そろそろ帰るとするか」

「ええ、直接に見るのも、テレビとちがった楽しさがあるわね。来年も見たくなったわ。開催地はどこかしら」

「その前に、今年はもう一回、特別オリンピックがあるそうだ」

「あら、どこで」

「月の第一ムーン・シティでだ。けっこう大きな都市になったから、仲間はずれにもできない。といって、重力の差による問題がある。そのルールをきめるため、火星や金星の基地からの選手も集って、試験的にやってみるわけだよ」

「あと百年後にはどうなっているかしら」

「その時になって見物に行けばわかるさ。なにしろ、みなの平均寿命が二百歳を越えているのだから……」

――「朝日新聞」１９６４年９月１日

景気のいい香り

香りの分野を専攻しているエフ博士の研究所に、政府の高官がたずねてきて言った。

「ご存知のように、最近は世の中が不景気になってしまった。政府としても、なんとかしたいと考えてはいるのだが、じつは景気回復の名案がなくて困っているところだ。そこへあなたから、いい案を持っているとのお手紙をいただいた。くわしくお聞きしようと思って伺ったわけです。本当にお持ちなのですか」

「ようこそ。しかし、まず私の今までの研究の成果を、ご説明いたしましょう。そのほうが早くご信用いただけるでしょう」

「それもそうだな」

と、高官はうなずいた。博士は壁の棚に並べてあるビンを指さし、説明をはじめた。

「これが当研究所で開発した香りのサンプルです。各メーカーから依頼されて作った製品価値を高める香りが大部分ですが、それは省略し、独特なものだけをあげます。まず、これが目のさめる匂いです。すでに製品化され、メザマシ時計にしこんだのが発売されています」

「うちでも使っているが、ここの発明とは知らなかった。おかげで毎朝、すがすがしい目ざめを迎えている。うちの時計はそのほかに、食事どきになると食欲を増進させる匂いも発生してくれる」

「それも私の発明で、このビンがそうです。また、これは近く製品化される泥棒撃退用の匂いです。玄関にただよわせておくと、それをかいだとたん、悪事を働こうという気分を消し去ってしまいます」

「なるほど、あなたの研究のすばらしさを認識しました。景気回復用の匂いとやらも、効果は確実でしょう。早く教えて下さい」

「いいですとも。これですよ」

と、博士はビンの一つを渡した。高官は目を輝かせながらフタを取り、匂いをかいだ。だが、すぐに顔をしかめた。

「いや、ひどい匂いだ。しばらくかいでいると、いらいらして頭が痛くなってくるな」

「すぐに遠ざけたくなるでしょう」

「もちろんだ。しかし、こんな匂いで、なぜ景気がよくなるのだ。わけがわからん」

「紙幣にしみこませておくのです。そうすれば、みな、入った金をどんどん使うようになりますよ。個人だろうが、会社、銀行、官庁をとわず、早く手放してしまおうとして気前よく支出するようになります。ものすごく金まわりがよくなると思いますがね……」

――「SUN DIA」1965年1月号

ある未来の生活

つとめ先の会社から、エヌ氏は自動操縦の自動車で、居眠りをしながら帰宅した。

「さあ、着きましたよ」

と録音テープの声に告げられ、目をあけると、郊外にある自宅の前だった。エヌ氏をおろした自動車は、ひとりで地下の駐車場へと入っていった。指で玄関のドアを押すと、ゆっくりと開いた。指輪から出る特定の電波を受け、ドアのカギが開いたのだ。

しかし、妻も息子も迎えに出てこない。なにに熱中しているのだろう。妻の室をのぞくと、彼女は自動安楽イスにかけ、目を輝かしている。壁いちめんを占めるテレビ電話用のカラー画面には、あいそのいい男の顔がうつり、流れるような口調でこう喋っていた。

「いかがでしょう。これが自動メーキャップ器です。お美しいお顔をさらに魅力的に仕上げる装置でございます。この効果は……」

画面にはモデルがあらわれ、その装置を使って、さまざまな化粧をやってみせた。

「ほんとに便利なものねえ」

と妻がうっとりしかけたのを、エヌ氏はさえぎった。

「だめだ。そんな高い品はぜいたくだ」

しかし、セールスマンのほうが一段うわて。効能からみれば実に安い、三年間の月賦でもいいなどと、巧みな言葉で丸めこまれてしまった。承知したとたん、画面のそばの壁の穴から品物が出てきた。地下の配達パイプで、もよりの支店から届けられたのだ。

「やれやれ、また変な品を買わされた」

エヌ氏は自分の室に入り、洋服ダンスの前に立った。タンスから機械の手が伸びてきて、ふだん着に着かえさせてくれた。窓から庭を眺めると、小学生の息子がロボットの鳥を飛ばし、電気銃でうち落して遊んでいる。この銃はもちろん人間には無害なものだ。

「さあさあ、遊んでないで勉強しなさい」

エヌ氏は息子を勉強室に入れ、カギをかけた。このカギは勉強の問題をいくつか解かないと開かないしかけになっている。

エヌ氏は長イスに寝そべり、しばらくテレビを楽しんだ。メガネのように両方の眼に当てる型で、完全な立体感がある。やがて画面が中断した。食事の時間になったのだ。

食堂に行くと、妻も息子もテーブルについていた。献立がお気に召さないことはない。最新式自動調理機が各人の脳波を調べ、最も食べたいと思っている味の料理を察知し、それを作ってくれるからだ。食事がすんだ時、

「そうだ、すっかり忘れていたぞ」

とエヌ氏はつぶやき、テレビ電話でさまざまな品を注文した。ローソク、炭、自動車にさす油、小説の本などが、すぐに配達パイプで送られてきた。明日は休電日なのだ。三か月に一日だけだが、あらゆる電気がストップするのだ。もちろん、だれにとっても、つらい不便な二十四時間だ。しかし、それによって電気のありがたさと、この現在の生活の幸福さとが、身にしみてわかるのである。

――「九電」1965年3月創刊号

二〇〇〇年の優雅なお正月

I

時計が朝の八時をさした。カチリというかすかな音がして、壁の穴から霧が静かに流れ出し、ベッドの上のハルコの寝顔のあたりにただよった。これには、頭をすっきりさせる作用の薬品が含まれていて、吸ったとたんに目がさめる。続いて、耳についているイヤリング型の超小型ラジオが、明かるい音楽とともにささやいた。

「おはようございます。きょうは二〇〇〇年の一月一日です。あけまして、おめでとうございます。きょうは休日。天気は晴、風のない暖かな日です」

ハルコはベッドを離れた。室内は、ほどよい温度の空気で満ちている。だが、ちょっと寒けがし、頭もあまりすっきりしない。

「カゼをひいたのかしら?」

へやの隅の健康診断器のそばにいった。すぐに結果がわかる。病院行きが必要な場合には赤ランプがつく。しかし、いまは青ランプ。ただのカゼだ。機械の調合してくれた薬を飲むと、たちまち気分はよくなった。

ハルコはシャワー室にはいった。ボタンをおすと適温のお湯がふりそそぎ、次に乾燥した空気が吹きつけ、水分を瞬時に除いてくれる。それから、香水を含んだ化粧水が吹きつけられる。べつのボタンをおすと、上から装置がおりてきて、髪を美しく整えてくれた。マッサージの装置もあるが、若い彼女には、まだ不要だ。服を着て食堂にゆくと、パパやママはもう椅子にかけていた。

「おめでとうございます」

と、お互いにあいさつをかわす。テーブルについているボタンをおせば、ミルクやジュース、パンやジャムが出てきて、簡単な朝食なら、それでまにあう。しかし、きょうは元日。特別に取り寄せた昔ふうの正月料理が並んでいる。カマボコやキントンなど外見は昔と変わらないが、味は一段と微妙に高級になっている。この時代には、味覚が一つの大きな娯楽となっているのだ。

「味のデザイナー」といった職業の人も多い。古今東西のどんな食物を味わうこともできるし、天然には存在しない全く新しい味さえ作り出されている。また原料も研究改良され、数時間、いや、お望みなら一日中、食べていても、腹をこわすことも、ふとりすぎることもない。

ハルコは、ゆっくりと食事を終えた。その間に、へやはきれいになっている。掃除機は、ひとりでに動き、あらゆるゴミを除いてくれる。ベッドは自動的に整えられて壁におさまる。つねに清潔に保たれているのだ。

Ⅱ

窓の外のながめは、ひろびろとした郊外。遠くには森も見える。高速モノレールやヘリコプター・バスが普及したため、だれも、ごみごみした都会の近くに住む必要がなくなったのだ。空を見あげると、オモチャのロケットがたくさん舞っている。昔の子どもは凧(たこ)をあげたが、いまはロケット。無電で地上から操縦できる。美しい音を発し、危険性は少しもない。

それからハルコは庭へ出て、温室のなかの草花のせわをはじめた。園芸は彼女の趣味であり、休日でも、なまけるわけにはいかない。いまはスズランに赤い花を咲かせるのが目標なのだ。図書館から借りた植物学のマイクロ・フィルムを調べたり、研究所へたのんで種子に放射線を当ててもらったり、テレビ電話で同好の士と、その成果を話し合ったり、これに熱中しているときが、いちばん楽しい。

それが一段落し、彼女はテレビを見ようと思った。大きなカラー・テレビで、チャンネルの数が五十ほどある。世界中の番組、さらには、月や火星からの放送をも見ることができる。だが、あまりおもしろいのは、やっていなかった。

そこで、映画を見ることにした。貸フィルム会社から借りたものだ。あらゆる映画が四ミリ・フィルムにおさめられていて、安く借りられる。一時は不況だった映画産業も、これで、昔以上に活気を取り戻している。もちろん教育的な映画もそろっている。しかし、きょうは元日だ。彼女は時代物をながめた。

Ⅲ

それを見終わったところに電話がかかってきた。友だちのナツコからだった。あした、どこかに遊びに行きましょう、というのだ。

「スキーはどうかしら？」

と、ハルコは提案した。人造雪によるスキー場は各地にあり、一年中、好きなときに遊べる。スケート場も同様だ。

「海もいいわよ」

と、ナツコはいった。最近は人工の浮き島の上にある貸別荘に行くのも流行している。島ごとゆっくりと航海もできる。そこで、ひっぱってもらわなくてもいい水上スキーを楽しんでもいいし、海底ジープに乗って青い海のなかをドライブし、揺れ動く海草の林や美しい魚の群れをながめるのも悪くない。

「じゃあ、それにしましょう」

ハルコは答えて電話を切り、デパートのカタログ・テレビをつけた。そこには、各種の商品がカラーでうつり、ていねいな説明を聞くことができる。ほしい品があれば、テレビについているダイヤルで商品番号を回せばいい。三十分以内に配達される。少し余分に注文し、手に取って気に入らないのを返すことも自由だ。ハルコは新しい型の水着と、水中でもだいじょうぶな化粧品を注文した。

まもなくデパートのマークをつけたヘリコプターが飛んできて、屋根の上についている昔の煙突のような形の穴に包みを入れていった。その物音を聞いて、パパがいった。

「なにを買ったんだい？」

「水着よ。あした海に行こうと思うの。ね、いいでしょう？」

「だめだ。この間、行ったばかりじゃないか。遊んでばかりいてはいけない。そうそうオコヅカイはあげられないよ」

世の中が進んでも、この点だけは、なかなか思うようにはならないものだ。

――「美しい十代」1965年冬の臨時増刊号

ビデオコーダーがいっぱい　ちょっと未来の物語

けさは目ざまし時計にじゃまされなくてすむ。ゆっくりとベッドのなかに横たわっていられる。私の職業は刑事。しかし、きょうは久しぶりにもらった休暇なのだ。もう、お昼ちかくだろうか。だが、時間などどうでもいい。一日中、ぼんやりと休養するつもりなのだ。

その時、ベルの音がした。目ざましのベルでも、来客用のベルでもなく、電話のベルだった。

「やれやれ、うるさいな。だれからだろう」

目をこすりながら受話器をとると、警察からだった。署長の声がこう言った。

「どうしているね、きみ」

「はい。おかげさまで、十分な休養がとれそうです。しかし、なんですか」

「それなんだがね、突然事件がおこった。あいにく人手が足りなくて、弱っているところだ」

「わかりましたよ。休みを返上して手伝ってくれ、というのでしょう。食事をすませて、すぐ行きます」

どうやら休日はふいになった。ここが刑事のつらい点だ。しかし好きでなった職業だから、そうつらいことはない。

私は簡単な食事をとりながら、テレビのニュースを眺めた。眠っているあいだにビデオコーダーに録画しておいたものだ。金星へロケットが到達し、地球へもどりはじめたと告げている。それにはビデオコーダーがつんであるので、雲の動きなど、貴重な資料が大量に得られるだろうということだ。しかし、私には専門外のことなので、どう貴重なのかはよくわからない。

食事を終って、服を着かえた。出かける前に新聞のテレビ欄をのぞき、ビデオコーダーのタイムスイッチをセットした。これで留守中の好みの番組が録画される。帰ってから、それをゆっくり見物することにしよう。といっても、きょうの事件がうまく片づき、早く帰れたらのことなのだが。

被害状況をテープで

警察署へ出勤し、私はさっそく上役に聞いた。

「どんな事件がおこったのです」

「盗難だ」

「いつ、どこでです」

「けさの十時ごろだ。とりあえず警官がうつしてきたビデオテープを見てくれ」

そのテープは廻りだし、画面に被害状況がうつしだされた。五階建のモダンなアパート。その一階に住む金持ちの婦人の宝石が盗まれたのだ。窓が外部からそっと開けられ、泥棒はそこから侵入し、金庫をこじあけて盗み、近くに置いておいた自動車で逃走したものらしい。

窓の状態、金庫の種類、室内の配置などがよくわかる。ビデオコーダーの利用で、この点が一段と便利になった。

しかし、私はそれを見ながら、上役に質問した。

「留守中の出来事だったのですか。窓のカギもかけずに外出するとは、不用心な話ですね」

「いや、留守ではなかった」

「家にいながら気がつかないとは、もっとどうかしています。金庫をこじ開ける音もしたでしょうに。なぜなのでしょう」

「まあ、ビデオのつづきを見てくれ」

と上役に言われ、私はまた画面に目を移した。それには、被害者の婦人があらわれ、警官の質問に答えるシーンがうつっている。それによると、劇映画のビデオテープを買ってきて、ちょうどその頃再生して眺めていた。あまりに面白いのでそれに熱中し、物音に気がつかなかったということだ。

婦人はそのあとで、自分の写真を画面に示した。宝石をつけた姿であり、それによって盗難品の形や大きさを頭に入れることができた。私はうなずいた。

「なるほど、大体の事情はわかりました。しかし、この画面で見ると、アパートの近くには学校だの、病院だの、商店などがあるようです。だれかが怪しい人影を目撃しているでしょう。また、アパートの住人たちも、不審な人物に気がついているかもしれません。それを調べれば、犯人の手がかりも得られるでしょう」

「そうなんだ。だが、いまは人手不足なのだ。休日のきみに電話をし、応援をたのんだのはそのためだ。やってくれ」

「わかりました」

私は現場へと出かけた。

教育、研究、医学に活用

どこから聞き込みをはじめたらいいだろう。私はまず、アパートのそばにある大学に寄った。事務室へ寄り、その時刻に現場を見下せる教室を利用して講義をしていた教授を教えてもらい、当ってみた。

「警察の者ですが、協力をお願いいたします。けさの十時ごろ、先生は学生たちに講義をなさっておいででしたね」

教授は快く相手になってくれた。

「ああ、地質学を教えていた。しかし、それがなにか役に立つのかね」

「じつは、あのアパートで盗難があったのです。あのあたりに人影か自動車を見なかったでしょうか」

「それはそれは、だが、講義をしながら、そとを眺めたりはしない」

「そうでしょうね。では、学生のなかにいないでしょうか。私も学生時代、授業中によくよそ見をしたものです。そのような学生の心当りがあったら、名前を教えて下さい。犯人をつかまえる手がかりとなるのです」

しかし、教授は首を振った。

「最近は、そんな学生は一人もいなくなった。むかしとちがってね」

「信じられません。学生が全部そうまじめになったとは……」

「いや、まじめになったからではない。教育にビデオコーダーを使うようになったからだ。むかしなら耳で講義を聞いていればよかったから、よそ見ができた。しかし、今では画面から目を離すと、とり残されてしまう」

「なるほど。そういうわけですか」

「じつに能率よく教えられるようになった。とくに地質学の如く具体的な現象を示し、視覚に訴える必要のある学科は、大いに助かる」

「はあ、そうでしょうね」

「ところできみ、ビデオコーダーと電子計算機を連結した、分類保存機といったものができると、さらに便利なのだがな。必要な項目のボタンを押す。すると、一瞬のうちに、これのうつっているテープのその部分が取り出され、画面にでてくるというわけだ。つまり、ビデオテープの百科事典というべき装置のわけだ……」

教授の雑談の相手をしていたら犯人は遠くに逃げてしまう。

「私は刑事ですよ、その方面のことはよくわかりません。だが、遠からず開発され、製品化されるでしょう」

と、私は適当に切りあげた。そして、つぎに、その上の階の室を訪れた。そこは生物学の教授の研究室となっていた。私は自己紹介をし、あいさつをした。

「どんなご研究なのでしょうか」

「昆虫が植物の葉を、どんなふうに食べるかを観察している」

研究室のなかには、網の張られた箱が並び、そのなかには鉢植えの植物があり、のぞくと、虫がついていた。

「変った研究ですが、なんかの役に立つのでしょうか」

「ああ、害虫退治に応用できる。その昆虫に特有な葉の食べ方がわかれば、薬剤の散布法も能率よくできることになる」

「しかし、昆虫が葉っぱを食べ終るまでを観察するのは、大変な仕事でしょう」

「もちろんだ。だから、私はずっと不眠不休だ」

「そうかもしれませんが、本当に不眠では、からだがもたないでしょう」

「その通りだ。じつは、私は眠る。しかし、そのあいだはビデオコーダーが私にかわって起きていて、観察をつづけてくれるというわけだ」

「そうでしたか。不眠不休だとおっしゃるので驚いてしまいましたよ」

「しかし、起きている時には、そのビデオテープを見なければならない。二倍の労働だ。だから結局は不眠不休と同じことだ」

まったく、研究の鬼と呼んでもいい熱心な学者だった。私は恐れ入りながら、要件を聞いてみた。

「ところで、窓の外を眺めるなんてことはなさいませんか」

「とんでもない。私は研究から目を離すことはない。実物を見ているか、ビデオを見ているかのどっちかだ。ぼんやり景色を眺めても、なんの役にも立たない」

この際は犯人逮捕の役に立ったのに。私はあきらめて引きあげた。大学では目撃者を得ることはできなかった。しかし、がっかりすることはない。こんどは病院のほうに行ってみよう。だれかいるにちがいない。

病院までは歩いて数分ほどだった。大きな建物だ。大きいのはありがたい。聞き込みに手間はかかるが、目撃者のいる率はそれだけ多くなるわけだ。

私はまず院長に会った。そして建物の図面を見せてもらった。アパートの現場を目撃できる室を教えてもらったわけだ。それによると、その側はどれも、医者たちの個室になっているとのことだ。私は順に訪問してみることにした。

まず第一に訪れたのは、内科担当の医者だった。さっそく質問。

「けさの十時ごろ、なにをなさっておいででしたか」

「ええと、そうだ。ビデオテープを見ていた。テープはそこにある」

「なにがうつっているのです」

「新しい内臓手術のやり方をうつしたもので、きのう外国からとどいたばかりのものだ。昔はこの種の紹介は文献だけだった。だから、疑問の点には頭を悩ましたものだった。手紙で問い合せても、質問の要点があいまいだったり、相手に勘ちがいされたりすると、何度も手紙の往復をくりかえさなければならなかった。しかし、ビデオの利用が簡便になったので、そんなことはしないですむ。なんだったら、うつしてみせようか」

「けっこうです」

「もう一回見ようと思っていたところだ。ビデオだと、くりかえして何度も見て、手術法をすっかり身につけることができる。しかも、説明を聞きながらだ……」

「けっこうですよ。ところで、十時ごろ窓のそとでなにかを……」

「いや。そんなひまはなかったな」

「残念です。ありがとうございました」

私は辞去し、つぎの室へ入った。そこにいたのは小児科の医者だった。彼はこう話しはじめた。

「私は小児心理学を担当しています。子供の癖を観察し、それを調べて、心理的なゆがみを発見するわけです。その原因をつきとめ手当てをすれば全快です。社会が進歩すると、子供の心理も複雑になり、いろいろな問題点が多くなるものです」

「そんな分野があるとは知りませんでした。しかし、癖を観察するのは根気のいる仕事でしょうね」

「もちろんです。昔だったら労力がかかって、大変な費用がかかったでしょう。しかし、ビデオコーダーのおかげで、この悩みが解消されました。ごらんなさい」

その医者は、ビデオコーダーのスイッチを入れた。画面には男の子の生活がうつっている。物を食べたり、遊んだりしている。

「かわいい、利口そうな子供ですね」

「よく注意してごらんなさい。なにかというと頭をかいているでしょう」

「そういえばそうですね。あ、また頭をかきました。どういう原因なのですか」

「これは罪悪感があるためだろうと推理し、調べたらその通りでした。この子供の祖父は、たいへん偉い人だったのです。もっともしばらく前になくなりましたが」

「なくなった祖父が、孫にそんなに影響を及ぼすものでしょうか」

「ふつうはありませんが、この場合はちがいます。この子供の両親が、祖父のように偉い人に育てようとし、なにかというと生前の祖父をうつしたビデオを見せたそうです」

「たまりませんね。子供にとっては、死んでしまった人のお小言も、たまに聞くのはいいでしょうが、たびたびとなると、うんざりするでしょう」

「そうですよ。ビデオの応用も度をすごすといけません。さっそく両親に注意し、やめさせました。まもなく全快です。なんでしたらそのビデオを……」

「いや、けっこうです」

その小児心理学の医者も、窓の外は見なかったとわかった。つぎの室を訪れると、そこの医者はビデオコーダーを眺めているところだった。やむをえず、私はそれにつきあわされた。医者は説明してくれた。

「ごらんなさい。老人が散歩をしているでしょう。少し前に中気になり、ここに入院していた患者です。それが退院し、その後の状態をビデオにとり、定期的にここに送ってくるわけです。私はそれを見て、患者の動作をにらみあわせ、もっと運動をしてもいいとか少し激しすぎるとか、指示を電話で知らせてやるのです。この方法を採用してから、医者の注意がよく行きとどくようになりましたよ」

「そうでしょうね。ところで十時ごろに窓のそとをごらんになりませんでしたか」

「そんなひまはありません。私はビデオを見つづけです。患者たちはビデオのおかげで利益を受けますが、医者のほうはそれだけ大変になりました。このままだと、目が疲れていけません。担当医を増員しなければならなくなるでしょう」

「ご同情します……」

私はそこを出て、また別な室に入った。しかし、そこの医者もビデオを見ていた。説明によるとこうだった。

「これは地方のへんぴな場所にある病院から送られてきたビデオです。レントゲン写真を含めて、病人の状態の全部がうつされています。ほら、呼吸の音や、心臓の鼓動も入っているでしょう。だから、専門医がいなくても、これを送ってもらえば、ある程度の診断が下せるわけです。この方法が普及してから、誤診が大幅に減りましたよ」

「なるほど、便利になったものですね」

だが、この医者も犯人を目撃してはいなかった。そして、最後の室を訪れた。私が入ってあいさつすると、その室にいた医者は言った。

「きょうは仕事になりません。新型のマッサージ機械のぐあいがおかしくなってしまいました」

「それはよかった」

「よかったとはなんです」

「じつは十時ごろ、この窓の下で事件がおこったのです。ごらんになりませんでしたか」

「いや、そんなひまはなかった。おかしくなった機械をビデオに撮影していたのだ。それをメーカーに届けるのです。変な動きや音がいっぺんにわかり、修理係がやってくる時、大体のことを頭に入れてあるため、仕事の進みが早いのです。また、故障が簡単なものだったら、修理屋は来ず、必要な部品となおし方を解説したビデオが届けられるわけですよ。安上りですみます」

「そんな方法が普及しているのですか」

ついに私は、病院で目撃者を探し出すことはできなかった。いろいろなビデオの利用は知ったが、犯人への手がかりが得られなくては仕方ない。

事件の捜査というものは、簡単なようなものでも、意外にむずかしいことが多い。私はいちおう警察に電話し、中間報告をした。なにかべつな方面からの情報が聞けるかと思ったが、それもなかった。地道な聞き込みをつづけなければならないようだ。

商店経営にも一役

私は商店街のほうへ行った。事件の現場を見とおせる場所にはスーパー・マーケットがあった。あそこなら、なにかが得られないとも限らないだろう。入口近くにいた店員に、

「ちょっと、うかがいたいことが……」

と声をかけると、店員はだまってそばを指さした。そこには、ボタンがいくつかついた台と、その上にテレビが置いてある。

「なんですか、これは」

「道をお聞きになるのでしょう。そのような人が多く、時間がつぶされると仕事に影響します。といって、追いかえしてはサービスになりません。そこで、その装置をおいたわけです。知りたい番地のボタンを押して下さい」

私を買物のお客ではないと見て無人自動案内器を指さしたわけだったのだ。私はためしに、ボタンの一つを押してみた。たちまち画面に道がうつりはじめ、声が言った。

「この道をこう進みますと、右にこのような家具店がございます。そのそばを曲り、このような道を三十メートルほど歩きますと、この左側一帯がお探しの番地でござい

ます。おわかりでしょうか。ボタンをお押しになれば、何回でもごらんになれます。なお、お帰りには当スーパー・マーケットでお買物を」

私は感心した。ビデオ利用でサービスをし、ついでに宣伝までやっている。私は店員に言った。

「すばらしい案ですね。しかし私は警察の者です。じつは泥棒のことで」

店員はうなずき、他の者にあとをたのみ、私の話相手になってくれた。

「これは失礼しました。しかし当店に関しては大丈夫です。犯罪とはなんの関係もございません。ビデオコーダー利用の、この犯罪防止装置をごらん下さい」

と言って、私に示した。それは目立たないようにそなえたテレビカメラだった。店内をうつせる位置にある。

「なるほど」

「人ごみにまぎれて万引をしたり、スリを働くものがあっても、たちまち人相が記録されてしまいます。お客様に安心してお買物がしていただけますし、万引の被害がないため、そのぶんだけ安く売れるわけです。また同時に混雑のぐあいも研究でき、それによって商品の配置を適正にできます。ぶつかりあったり、押しあったりのさわぎもなくなりました。当店の経営が順調なのも、そのためでございます」

「積極的、かつ安定した商店経営といえますね。しかし、ビデオコーダーの費用はかかるわけでしょう」

「いえ、事件がなければ、テープを消してつぎの日に使えばいいのですから、ほとんど経費はかかりません。利点のほうがはるかに大きいのです」

「いずれは、どの商店もそうなるでしょうね。それで警察も少しは楽になるでしょう。で、けさの十時ごろですが……」

と、私は質問をはじめた。だがこの店員はこの設備のため安心し犯罪に注意することが少くなり、店のそとで不審な動きがあっても気にとめていなかったらしい。

私はまたもがっかりした。しかし、収穫がなかったわけではない。私はビデオテープの十時前後のころのぶんを借りることにした。それをうつしたら、なかに犯人がいるかもしれない。また、そこにうつっている客を当れば、目撃者がいるかもしれないのだ。

きっと、大ぜいの人がうつっているだろう。考えてみると、うんざりするほど根気のいる仕事だ。人手が足りなくて私一人でやるとなると、何日もかかる。なるべくなら、そうしなくて犯人を逮捕したいものだ。

私は店員に礼を言い、マーケットを出た。

筆不精はビデオで便り

そして、こんどはアパートを廻ることにした。この住人で、なにかを目撃している人がいてくれると助かる。私は元気を出して、一号室から順番に訪問することにした。

一号室では、おいしそうな料理の匂いがただよっていた。応待に出た主婦は、こう答えた。

「あたし、お料理が趣味ですの。けさの十時ごろですって。ああ、いつもその時刻にはビデオテープを見ていますわ。お料理法を説明したテープですの。それを眺め、必要な材料を買いに出かけるわけですわ」

「そうでしたか」

と私がうなずくと、彼女は私をなかに案内し、台所を見せた。

「台所にこのようにビデオコーダーをそなえつけましたの。それを見ながら同じにやれば、決して失敗はいたしませんわ。以前のテレビのお料理番組は、時間の関係ではしょってありましたけど、ビデオコーダーなら、途中で停止させるのが自由で便利ですわ。五分間だけ煮るという部分では、テープを五分間とめておいて、煮えてからまた次の段階に移ればいいので頭を使わなくて助かりますわ」

「便利な時代になりましたね」

「だけど、あたし、少し心配ですの。さらに進歩すると、ビデオテープが動いて、直接に調理台を操作し、自動的に料理が出来上ってしまうようになるんじゃないかしら。そうなったら、あたしのすることがなくなってしまいますわ」

「そうなったら、食べるだけでいいのですから、なおいいじゃありませんか」

「だけど、あたしはお料理するのが好きなのよ。ちょっと召し上って下さいません」

警察の者がごちそうになってはいけないのだが、ずっと歩きつづけで、空腹だった。好意に甘え、一皿だけ口にした。いい味だった。私はそれで少し力が出た。

二号室にいたのは老人夫婦だった。例の質問をすると、答はこうだった。

「そのころは息子から送られた便りを見ていました。いま外国へ出張中なのです」

「しかし、変な物音ぐらい聞かなかったでしょうか」

「いや、息子からの便りは、ビデオテープなのですよ。それをビデオコーダーにかけていたのです。これはいいですよ。筆不精の息子ですが、テープだと簡単なので、よく送ってきます。また、外国の街の様子など手にとるようにわかり、何度見てもあきません。こちらからの便りも、やはりビデオです。息子はそれを見て、私たちの元気なことを知るわけです。見終ったらそれを消し、こんどは自分をうつして送りかえしてくれるのです」

「ビデオが役立ってけっこうですね」

「しかし、病気になると困ります。手紙でしたら、心配をかけないため、嘘をつけますが、ビデオではそれができません」

「いや、お医者さんもうつし、たいしたことはないから大丈夫だと言ってもらえばいいでしょう。また、本当に悪ければ、そう知らせるべきですよ。交通が発達した時代です。すぐ帰れるわけでしょう。嘘も方便という諺が古くなりビデオ時代の新しい人間関係が確立されるわけですよ」

私はこう言って、そこの室を出た。

三号室の住人は、若い独身の女性だった。ファッション・モデルをやっているらしい。私が訪れた時は、自分の歩き方をうつしたビデオを再生し、いろいろと研究していた。私が聞くと、こう答えた。

「十時ごろは、お化粧の研究をやっていましたわ。パリの一流の美容師にたのんで、指導をしていただいていますの。あたしの顔をうつしたビデオを送ると、最もふさわしい化粧法を指示してくださるの。その通りやってまたビデオを送ると、どこをどう直したらいいか、また表情のあらわし方なども、かゆい所に手がとどくように教えて下さいますわ。おかげで、あたしもモデルの註文がたくさんくるようになりましたわ」

一流のモデルになるのも、けっこう大変なものらしい。私は少し知識を得た。

このように、つぎつぎと室をまわった。だが、どこにも目撃者はいなかった。どの住人も、ビデオコーダーを使っていたのだ。

茶の湯や生花を、ビデオの通信教授で自習していた者もあった。先生の模範的なのを見ることもできるし、自分のをうつし、それを送って講評をしてもらうこともできるのだ。時間的に余裕がなかったり、あっても不規則だったりして、定期的に習いに行けない人もこれでなら自宅で自由にできる。最近、流行している理由もうなずけた。ビデオの普及で、世の中が優雅にもなって行くのだ。

また、日本舞踊、碁や将棋、育児の方法などを勉強している住人もあった。

ある室の住人は中年の男で、それはこう言った。「私は手品の通信教授をやっています。ビデオテープを使ってですよ。このあいだまで会社勤めでしたが、このほうがもうかるので、退社してこれ専門になりました。どうです。習ってみませんか。警察の人など、手品の達人になっておくと役に立つと思いますよ。犯人に近づき、油断させておいて、さっと手錠をかける。そのこつが身につきますよ」

「いや、いずれ考えてから」

私はあわてて退散した。訪れた刑事をつかまえ、弟子になれというのだから、いささか驚いてしまったのだ。

かくして、ほぼ廻りつくしたが依然としてかんじんの目撃者はつかめない。だれもかれもビデオを見ていたのだ。こうなると、ビデオの普及もよしあしだぞ、こう考えながら私は最後の住人を訪問した。

そこには四十ぐらいの男が住んでいて、職業は作家だった。彼はさっそく言った。

「これからビデオを見ようと思っていたところでした。以前は取材旅行に出かけ、それに相当な時間をとったものです。しかし、最近はビデオのおかげで、大いに能率があがるようになりました」

やれやれ、またもビデオテープの話だ。しかし、ここでうんざりした顔をしては、聞き出せることも聞けなくなる。私は適当にあいづちを打った。

「旅行しなくてすむわけですね」

「そうですよ。小説の題材にしたい土地があるとします。そこに住んでいる友人にたのむのですよ。これこれの山と、河と、神社とをビデオにとって送ってくれと。すべての材料がいながらにして揃(そろ)うわけです。じつに助かりますよ」

「しかし、そのうち小説を読むより、編集したそのビデオを見たほうがいい、という読者がふえてくるかもしれませんよ。そうなったら、先生は失業でしょう」

「いや、そうなったらなったで、その編集に個性を発揮すればいいのです。くよくよすることはありません」

このごろの作家は昔とちがっていやに活力があるようだ。私は感心しながら聞いた。

「けさの十時ごろは、なにをなさっておいででしたか。ビデオをごらんだったのでしょうね」

「ええと、いや、その時間は、そんなことはしていません。頭を休めるために、運動をしていました」

期待していなかっただけに、私は意気ごんだ。

「それはありがたい。で、どこで、どんな運動をなさっていたのですか」

「屋上でゴルフのクラブを振っていました。そこへ行ってみましょうか」

いっしょに屋上へとあがった。広々として眺めもいい。そばの道路も見下せる。これなら、犯人ぐらい見ているにちがいない。私は質問した。

「じつは、この下を犯人が逃げたのです。なにか不審な動きを見ませんでしたか」

「いや、ゴルフをやっていましたが、姿勢や動きをなおすため、クラブを振るのをビデオにおさめていたのです。だから、ぼんやりと下を眺めたりしませんでした」

やれやれ、またもビデオだ。私はがっかりした。だが、万一のことを考え、そのビデオを見せてもらうことにした。ひょっとしたらそれにうつっているかもしれない。だが、その期待も裏切られた。カメラの角度が上むきだったため下の方は少しもうつっていない。バックは空と雲ばかりだ。作家はとくいげに画面を指さし、

「はじめてから半年ですが、なかなかいい動きでしょう」

などと云っている。しかし、私はなま返事をしながら、画面を眺めた。ゴルフの動きからでは、犯人の手がかりはつかめない。

やはり、スーパー・マーケットのビデオを調べ、丹念に当ってみる以外にないのだろうか。こう考え溜息をもらした時、画面の空になにかがうつった。

「ちょっと、ビデオコーダーをとめて下さい」

そして、あらためて見なおすとヘリコプターだった。あまり役には立つまいとは思ったが、その機の番号を手帳に書きとめ、引きあげた。

ＶＴＲで犯人逮捕

これだけ歩きまわり、多くの人に会いながら、手がかりはほとんどなしだ。疲れて

警察署に帰り、念のためにと、航空関係の役所に電話をし、そのヘリコプターの所有者を調べた。その結果、都市計画の委員会が飛ばせたものであると判明した。

私はその役所に出かけた。手をこまねいているだけでは、事態は少しも好転しない。私はその担当の係に会った。

「けさの十時ごろ、ヘリコプターを飛ばせたそうですが」

「ええ、飛ばせました。ビデオテープにうつすのが目的でした」

またもビデオだ。私はうんざりしかけたが、気がついて、たちまち元気をとりもどした。

「なにをうつしたのです」

「地面をですよ。交通量の調査のためです。ビデオを検討することにより、道の幅、陸橋の必要な箇所、信号の変る時間など、適確な決定ができるのです。都市も少しずつ住みよくなって行きつつあります」

「そ、それですよ。そのビデオを見せて下さい」

私は大声を出した。都市の改造など、どうでもいい。その中から犯人を見つけさえすれば、私は満足なのだ。

やがて、問題のテープがかけられた。私は画面をじっと見た。アパートがうつっている。そして、なんとすばらしいことだ。窓からそっと出てくる人影を発見できたのだ。犯人は建物にそって歩き、植木のあいだを通っている。本人は見つからないつもりなのだろうが、ヘリコプターからは逃げられない。

それから犯人は、少し離れた場所に置いてある自動車に乗った。車は走り出し、やがて画面から見えなくなった。しかし、これで十分だ。自動車の型がわかり、逃げた方角がわかったのだから。

その方角には、有料の高速道路がある。きっと、地方へ逃げるつもりなのだろう。

私はさっそく、有料通路の入口を訪れた。そこの係員は一人だった。

「よく一人で、この仕事をやれますね」

「いや、このあいだから、無人システムになったのです。運転している人が、それぞれ料金を払って通るのです。私の仕事は、お金の両替だけですよ」

「それでは、金を払わずに通る車もあるでしょう」

「そこですよ。ビデオテープの利用です。通過した車はすべて、ビデオに録画してあるのです。だから、無料で通過したら、あとですぐその番号がわかってしまいます。必ずつかまるとなれば、だれも悪いことはしませんよ」

「そうでしたか。では、そのビデオを見せて下さい。けさの十時ちょっと過ぎごろのものです」

そして、ビデオコーダーでそれを見た。やがて、ヘリコプターで知った型の車がやって来た。車の番号も、さらに犯人の顔もはっきりとうつっている。そしらぬ顔をしているが、これで悪運もつきたわけだ。私はそのテープを借り、警察署へと戻った。

ただちに手配がなされた。車と人相とが、関連のある地方の署に電送された。もはや、逮捕は時間の問題だった。まして、犯人はまさかと思って油断をしているのだ。

案の定、しばらくすると連絡があり、逮捕したとの報告が入った。犯人はふしぎがり、ごまかそうとしたが、盗んだ宝石がポケットから出てきてはどうしようもない。また、すべての証拠はこのように揃っている。裁判で有罪になることは明らかだ。

やっと、これで事件も片づき、私は帰宅できることになった。帰って酒でも飲みながら、留守中に録画されたテレビ番組を、ビデオコーダーでゆっくりと見物することにしよう。

——「SONY NEWS（ソニーPR誌）」No.85（1965年）

味の極致

いろいろな経歴をたどったのち、エフ氏は料理総合コンサルタント・センターなるものを開業した。はなはだしく長ったらしい名前だが、そのほうが重々しく響くだろうと考えたからだ。

しかしこけおどかしのものではなく、内容もまた、わりと充実していた。だからこそ営業として成り立ち、かなりの繁昌(はんじょう)を示しているのだった。ちょっとしたビルであり、人員の数も多かった。

ここには古今東西、ありとあらゆる料理の資料が揃(そろ)っていた。材料や作り方がカードに記されているのである。それが整理分類してあるだけでなく、ここで現実に作ってみて、はじめての人がおかしやすい間違いなどの点も調べられている。

ひっきりなしに、このような電話がかかってくる。

「あの、お聞きしたいんですけど……」

「どんなことでしょうか」

「じつは、スペインのグラナダに旅行した時に食べたサラダの味が忘れられません。作って食べたいのですが、どうやったらいいのでしょう」

「はい。五分後にお電話でお答えいたします。おたくの番号をお教え下さい」

そしてカードで調べ、手に入りうる材料で、それに近い味のものを作る方法を教えてあげるのである。すぐに回答することもできるのだが、いったん切ってかけなおすのは、相手の電話を確認するためだ。資料カードは完備していて、ボタンひとつ押せば係の者の目の前に出てくる。

それから請求書を送付する。ていねいで便利なので、評判は悪くなかった。お客はふえ、料金の引下げもでき、またお客がふえる。

こんな電話もかかってくる。

「うちの子供がハシカにかかり、やっと全快したところです。どんな食物を作ってやったら、いちばん喜ぶでしょう」

それに対しては、年齢や性別などを聞きかえし、その担当の者が回答してやる。さらにはペットの餌(えさ)を問合わせてくる人もあるが、それは扱っていない。動物をいっしょにすると、いやな感じを持つ人がでてくるだろう。エフ氏は、いずれ別会社でも作って、そっちにやらせようと考えている。

時にはこんなのもある。

「豚肉を主にした中国料理を作りました。食卓にかざるのには、どんな花がいいでしょうか」

もちろん回答してやる。このセンターで答えられないことはない。だが、なんでも答えるという信用と、その指示が適切であるとの好評を維持しているのは、ここでそれだけの研究をつづけているからこそだ。

いくつもの研究室があり、そのなかで、各種の実験がなされている。

その一つでは、セットの縁側にすわった男が、ソウメンを食べていた。他の者たちは、室内の温度や湿度や明るさを、いろいろに変えながら話しかけている。

「現在、気温二十七度、湿度七五パーセント、風速は三メートル。さあ、ソウメンを食べてみて下さい」

それに応じて食べる男の頭には、妙な形の装置がつけられている。脳波測定用のもので、そのグラフ曲線を調べることにより、どの程度にいい味覚を感じたかがわかるのだ。

このようにして、最良の条件が決定されてゆく。ソウメンの冷えた温度、浴衣姿(ゆかたすがた)とシャツ姿のちがい、風鈴の音のぐあい、冷房の室(へや)ではどうかなど、よりよい味を楽しむためのデーターが得られてゆく。もちろん、回答の時には無味乾燥な表現はさけ、わかりやすい言葉を使う。

また、べつな研究室では、さらに大がかりな実験がなされている。窓のように作られた画面に、映画がうつされているのだ。

遠くにエッフェル塔がそびえ、その手前に凱旋門が見える。すぐ近くには古いつくりの家並みがあり、緑の葉のあいだにはマロニエの白い花が咲いている。そのような室の中央の机についた人たちが、フランス料理を食べているのだ。

景色ばかりでなく、この室には匂いや音も再現されている。パリーの街のにおいが流され、現地で録音されたパリーの音が再生されている。寺院の鐘の音、自動車の音、窓の外を通る人の話し声などを聞きながら食事をしているのだ。

食べている人のなかには、外遊の経験者とそうでない人がまざっている。いずれをも満足させるには、どの程度がいいかをきめているのだ。それが決定されると、景色のフィルム、音のテープ、匂いの発生器がセットとして完成し、利用者への貸出しがなされる。

パリーばかりでなく、イタリーの海岸、ニューヨークの下町、香港の夜、ハワイなど各地のものが作られつつある。さらに、料理にふさわしい食器、家具、その他あらゆる品が揃っていて、指示や貸出しをおこなっている。

すなわち、完成した料理とは、味そのものだけでなく、食べる時の環境とも関連していなければならぬというのが方針なのだ。

ある研究室では、人間関係の面での調査がなされている。一家だんらんで食べる時、親友どうしでの会合、商取引での宴会などの場合、料理がどう味わわれているかの研究である。張合いのないのは、恋人どうしの時だった。なにを食べても、味などどうでもいいというのが多いからだ。

このセンターには特別会員の制度もある。会員になった者は、その個人の健康や好みや日常などがくわしく登録されているので、さらにくわしい助言ができる。もちろん、その会員費は安くない。だが、より楽しい食事をという要求がみたされるので、人数もふえる一方だった。

かくして、エフ氏は景気がよかった。しかも、人に喜ばれながらもうかるのだから、いい気分だった。

ある夜、エフ氏が所長室の金庫を閉め、書類を片づけながら帰り仕度をしていると、とつぜん覆面をした二人連れの男が入ってきた。

「おい。声をたてずに言うことを聞け」

「なんです。そんなかっこうで勝手に入ってきて……」

とエフ氏が聞くと、二人組は刃物を出した。

「ふしぎがることはない。おれたちは強盗だ。さあ、その金庫をあけてなかの金を渡せ」

「それはできません」

「ただではすまないぞ」

二人組におどされ、エフ氏は嘘をついた。

「その開け方は所長しか知りません。私は下役ですから、どうしようもないのです」

「よし、それならおれたちでぶちこわす。じゃまはさせないぞ」

二人組はエフ氏をしばりあげ、声をたてないよう、さるぐつわをした。そして金庫をこわしにかかった。ドリルで穴をあけようとしたり、ガスの炎で焼き切ろうともした。しかし、金庫は丈夫に作ってあり、なかなか開かなかった。二人組はついにあきらめ、机のひき出しのなかから僅かな金を取り、こんな言葉を残して引きあげていった。

「おれたちは帰る。すぐ警察に連絡されては困るから、お前はしばったままにしておく」

あとに残されたエフ氏は、熱心に身をもがいてみた。だが、いかにやってもだめだった。疲れるし、腹はへるし、のどはかわくし、ひどくなる一方だった。

そして、朝になり、出勤してきた所員たちがエフ氏をみつけ、急いでナワを切った。エフ氏はほっとし、のびをした。と同時に、非常な空腹を感じた。昨夜は夕食を食べそこなったし、夜じゅう力をこめてもがいたためだ。

「ああ、早くなにか食べたい」

「お待ち下さい。いま、なにか持って参ります」

所員は急いで室から出ていったが、エフ氏は待てなかった。そばを見ると、泥棒が忘れていった包みがあり、開けてみるとオニギリが出てきた。

それを口に入れ、昨夜から入れっぱなしのお茶を飲んだ。いずれも、からだじゅうにしみわたるような味だった。エフ氏は今まで、研究室を利用し、最良の環境で最高の料理を何回も食べている。しかし、そのいずれにもまさるように思った。世の中に、こんなにうまいものがあったろうか……。

その時、机の上の電話が鳴った。受話器をとってみると、特別会員のうちのAクラスのお客からだった。それには、所長のエフ氏が直接に回答することになっている。

「なんでございましょう……」

「なにかうまいものが食べたいのだ。そちらで指示しすすめてくれる料理は、すべて食べあきてしまった。だが、それを破るようなすごい味のものが食べたいのだ。費用はいくらでも払う。指示してほしい」

「そうおっしゃられても、弱りましたな……」

「たのむ。腹にしみわたるようなものが食べたいのだ」

と強くたのまれ、エフ氏は思いついて答えた。

「ひとつ残された方法があります」

「それをたのむ。費用は請求どおり払うから」

「では、今夜でも、おひとりで別荘の山小屋にいらっしゃっていて下さい。そこへおとどけいたしましょう」

電話を切ってから、エフ氏は所員たちを呼んで命じた。

「おい、だれか出張してくれる者はないか。今晩、覆面の二人組となって山小屋に行き、しばりあげるという仕事をする。それから、朝になったらそしらぬ顔で訪れ、ナワをといてやるのだ」

「なんでまた……」

「そして、オムスビと出がらしのお茶を置いてくればいいのだ。世の中には、こんなうまいものはない」

――「マイクック」1966年7月号

ラフラの食べ方

エヌ氏はラフラ食品株式会社を設立した。彼は研究を重ね、新しい食品をやっと完成した。それを製造し、大いにもうけようというのだった。

蛋白質(たんぱくしつ)を主にした材料でできていて、ほどよい味がつき、栄養に富んでいる。小さな球状のもので、そのまわりをゼリー質の成分で包み、その外側は薄いプラスチック製の殻でおおわれていた。早くいえば人工の卵だ。また、ヒントもそこから得たのだった。そのままお湯につけてゆでれば、適当なかたさになる。また、おつゆに落してもいい。殻を割ってかきまぜて料理に使ってもいい。すなわち、使い方も卵と同じだった。

かくの如(ごと)く用途は広く、使用法は便利であり、保存もしやすく、その他長所は限りなく考えられた。エヌ氏はこれこそ万人の求める食品と自信を持ち、金を借り集めて生産に乗り出した。彼はこれにラフラと名づけ、コマーシャル・ソングも作った。

「ラフラ、ラン、ラン。おいしいラフラ……」

という文句ではじまる軽快な歌だ。

しかし、こんなふうに必勝の信念でとりかかったにもかかわらず、その売れ行きはかんばしくなかった。

エヌ氏はあわてて、その対策にかけまわった。販売店を訪れて説明し、借金の返済を待ってもらい、さらに新しく借金をして派手に宣伝をやった。だが、依然として景気はよくならない。

そんなある日、彼は疲れたからだを休め沈んだ気分を晴らすため、バーで酒を飲んだ。いいかげん酔って自宅に帰りついた。ドアを開け、なかに入る……。

そのとたん、エヌ氏は落下した。といって、自分の家のなかに穴などあるわけがなく、落ちるなどということが起るわけがない。彼はふと、疲れているところへ酒を飲んだため、酔いで正体を失うのかとも思った。

だが、やはり落ちる感覚だった。早いエレベーターで降下しているような気持ちだ。彼は目をつぶって緊張していた。しかし、衝撃もなく、いつのまにか落下感覚もなくなった。エヌ氏はそっと目をあけ、つぶやいた。「これはどうしたことだ。酔っぱらって他人の家へ入ってしまったのかな……」

見なれた自宅でないことはたしかだった。明るい壁で、その模様は静かな音楽とともに動いていた。流れるような曲線を持つ家具があり、すがすがしい匂(にお)いがかすかにした。

呆然(ぼうぜん)としていると、そばで声がした。

「よくいらっしゃいました。ラフラ食品の社長さんでいらっしゃいますね」

エヌ氏は驚いてふりむいた。そこにはゆるやかなガウンをまとった男が立っていて、にこやかな顔をむけていた。エヌ氏は、酔っての幻覚だろうか、夢なのだろうかと疑いながらも答えた。

「はい。私がそうです」

「じつは、ラフラについて説明をお聞きしたいと思いまして……」

「どうぞ、なんなりとお聞き下さい」

エヌ氏はつとめて礼儀正しく応じた。なんでこうなったのか見当もつかないが、相手はラフラに関心を持っている。お客にちがいない。このさい、できるだけごきげんを取っておくに限る。

「どういうふうに食べるのかを知りたいのです」

と相手は言った。エヌ氏がポケットをさぐると、ゆでたラフラが一つあった。あらゆる機会をとらえて宣伝しようと、ポケットにはいつも入っているのだ。彼はそれを手に、なれた口調で喋り(しゃべ)はじめた。

「これこそ私が開発した新製品のラフラです。味もよく、栄養に富み、調理法は簡単。すなわち、卵と同じにすればいいのです。なんら新しい調理法を覚えなくてもいい。ここが特徴です。最も簡単なのは、ゆでて食べる方法です。これはすでにゆでたラフラですが……」

エヌ氏はプラスチックを割り、殻をむいて、自分の顔の前に持ちあげた。すぐに口に入れようかとも思ったが、ここが宣伝とばかり、コマーシャルソングを歌った。

「ラフラ、ラン、ラン。おいしいラフラ……」

少し歌ってはかじり、少しかじってはまた歌った。やがて食べ終り、そばにいる人物にむかって言った。

「おわかりになりましたでしょうか」

「よくわかりました。助かりました」

とうなずく相手に、エヌ氏は身を乗り出した。

「では、いかがでしょう。いくらかご注文をいただけませんか」

「いや、買うつもりはありません。ラフラは、当方で大量に作ってしまいましたので……」

それを聞いて、エヌ氏は大いに怒った。

「なんですって。それはひどい。道理で、こっちのが少しも売れない。無断でにせ物を作るとは営業妨害です。不正行為です。法律に訴えて、損害を取り立てますよ……」

声を高くしてつめ寄ったが、相手の男は平然としていた。

「そんなことはできませんよ。なぜなら、世界がちがうのですから」

「世界がちがうとは、どういうことです。いったい、ここはどこなのです。どうもさっきから、ようすが変だとは思っていたが」

「それをさきにお話しすべきでした。あなたのほうから言えば、ここは未来。私たちから呼べば、あなたは過去というわけです」

「なんだと、未来へ来てしまったのか……」

あらためて見まわすと、うなずける点があった。壁や家具の材質など、さわっただけではわからない。ガラスのようでもあり、プラスチックのようでもあり、金属とも思える。相手は説明をつづけた。

「さようでございます。時間を越えるパイプをあなたの家につなぎ、それを通っておいでいただいたわけです。普通では過去との接触は許されず、非常の場合だけに限られています。しかし、ラフラに関してはみなの意見が一致し、特別にみとめられました」

「それほどまでラフラに関心を持っていただけたとは、いい気分です。しかし、なんでそう熱心なのです」

「この時代は科学が発達し、あらゆる仕事を機械やロボットがやってくれます。人びとは心ゆくまで趣味を楽しんでいます。そして、趣味のなかで最も人気のあるのが、料理を食べて楽しむことです」

「なるほど、そういうことになるでしょうな。味わう楽しみだけは、ロボットにやらせては意味がない」

「はい。料理についての研究が進み、古代からのあらゆる食品や料理を、ほぼ完全に再現できるようになりました。みな、その多様な料理を、つぎつぎに楽しんでいるのです。だが、いずれはあきてくる。なにかまだ味わってないものはないかと要求が出ます。そこで歴史資料をひっくりかえして調べ、ラフラの記事が発見できたというわけです」

未来人はその苦心談をのべた。エヌ氏はうなずいた。

「なるほど、未来とはそういう世界なのですか」

「文献によって製法がわかり、なんとか作ることはできました。だが、どんなふうにして食べたかの記録は、まったく残っていません。こうなると、みなはますます知りたがる。ついに、謎(なぞ)をとく方法はあなたにお聞きする以外にないとなり、時間パイプでおいでいただくことになったのです」

「卵と同じに食べればよかったのですよ」

「そうだろうとは思いましたが、だれも断言はできない。それに、食べる時の作法も知りたかったのです。私たちは、古代の食事はできるだけ当時の作法どおりに食べることにしているのです」

エヌ氏は目を丸くした。

「食べる作法など、どうでもいいでしょう。なにも、そんなことに手間をかけなくたって……」

「それなら、なんに手間をかけたらいいのです」

「そういうものですかね」

すべてが自動的に運営される時代となれば、こんなところに手間をかける以外に、することがないのかもしれない。

「おかげさまで、すべてはっきりしました。お食べになった様子は、すっかり記録に取らせていただきました。これからはみな、これを見習って食べることにします……」

未来人が壁を指すと、さっきのエヌ氏の姿がそこに映写された。ラフラを口にしながら、コマーシャル・ソングを歌った姿だ。エヌ氏はとまどった。

「みなさんが、こうやって食べるおつもりなんですか」

「そうですとも。あなたのなさったことですから、最も正しい作法でしょう。しかし、それにしても、歌いながら食べるとは珍しい作法です。みな喜ぶでしょう」

「しかし……」

「この時代を見物なさりたいのでしょう。しかし、過去との接触は、これ以上は禁止されています。すぐ、もとの時代にお送りします。どうもありがとうございました」

未来人が言い、エヌ氏は答えるひまもなく、異様な上昇するような感覚におそわれた。われにかえってみると、自分の家に帰りついていた。

現実だったのか、夢だったのかと検討しようとしたが、緊張によって無理に押えていた酔いと疲れが一時に出て、彼はすぐに眠ってしまった。

つぎの日、エヌ氏は会社に行った。社員が待ちかまえていたように報告に来た。

「社長、売れ行きは依然としてだめです。本物の卵と同じ値段にしなくてはだめなようですが、とてもそれはできません。どうしましょう」

エヌ氏は昨夜の出来事を思い出しながら言った。

「このへんで中止したほうがいいのかもしれないな。食べた記録が残っていないと未来人も言っていた。ということは、売れなかったということだ」

「なんでしょうか、未来人とかおっしゃいましたが」

「いや、説明のしようがないことさ……」

エヌ氏は残念そうに言った。しかし、ひとつだけ救いがあった。遠い未来には、大ぜいの人がコマーシャル・ソングを歌いながら、揃(そろ)ってラフラを食べてくれるのだ。

――「マイクック」1966年8月号

魔法のランプ

エヌ氏は熱心に救命ボートをこいでいた。乗っていた船が沈み、やっと助かったのだ。陸をめざしてこぎつづけてきたため、すっかりくたびれてしまった。それに、おなかもすいてきた。

魚でも釣って食べようと思い、海へ糸をたらしてみた。手ごたえを感じてひっぱりあげると、かかっていたのは魚ではなく、見なれぬ形のランプだった。

「へんなものが釣れたな」

と言いながらいじっていると、煙が立ちのぼり、なかから男があらわれて言った。

「これはアラビアの魔法のランプです。私はなかに住んでいる魔神です。持ち主がランプをこするとあらわれ、望みを一回だけかなえてさしあげます」

「そうだったのか。それはありがたい」

「しばらくお待ち下さい。すぐに、お望みの品を持ってまいりますから……」

魔神は風に乗って飛び去り、やがて帰ってきて、ボートの上に箱を置いた。あけてみると金貨がつまっている。エヌ氏は言った。

「なぜ、こんなものを持ってきたのだ」

「あなたのお好きなものですよ。今までに私の受けた命令は、みなこれでした。だから、おっしゃらなくても、すぐに運んでくるようになったのです……」

そして、魔神はランプのなかに戻ってしまった。エヌ氏は顔をしかめ、ランプを海に捨てた。つぎに金貨の箱も投げこんだ。

こんな重いものをつんでいたら、ボートはなかなか進まず、生きているあいだに陸にたどりつけないではないか。

——『少年少女世界の文学９　小公女　小公子』「しおり１」河出書房（１９６６年刊）

上品な応対

ここはエフ博士の邸宅。広く大きく、豪華で近代的だった。もちろん、内部の設備もととのっていて立派だった。

いまは冬の夜。そとでは闇のなかを肌をさすような寒い風が吹いていたが、なかには暖かさと楽しげな音楽とがあった。さらに、上品な来客たちのざわめきがみちていた。

「博士の偉大なる才能と頭脳、それに勇気と実行力。これには心から敬服いたします」

「ご成功、おめでとうございます」

人びとは博士にむけ、口々に賞賛の言葉をあびせかけた。

エフ博士は超高速についての新しい理論を、まったく独自に開発した。それにもとづいて新型の宇宙船を建造したのは政府だったが、志願してそれに乗込み、地球を出発して宇宙へむかったのもエフ博士だった。

博士はかずかずの危険をおかしながらも、いくつかの星々を訪れ、貴重な調査をおえて帰還した。

地球で博士を待っていたものは、栄光であり、地位であり、多額の報酬であった。この邸宅もそのひとつだった。いまや功成り名とげた、つまり、なんの不満もない生活の毎日だった。

今夜も上流社会の人びとを招待し、成功を祝うための、何回目かの盛大なパーティを開いていたのだ。高官も来ていたし、学者もいたし、外交官もまざっていた。

美しい女性たちが博士のそばへ来て言った。

「限りない星々のなかには、きっと、すばらしい文明を持った星もあるのでしょうね。博士がごらんになったなかで、最も美しかった星のお話をしていただけないかしら」

と、ロマンチックに目を輝かせた女性もあった。また、スリルを期待した女性はこう言った。

「あら、あたしは危険な目にお会いになったお話をうかがいたいわ。その苦難も、いまでは楽しい思い出となっているのじゃないかしら」

いずれも星々の話をせがむのだった。博士はゆったりした椅子(いす)に腰をおろし、かおりのいい上質のタバコを吸いながら、しばらく考えてから話しはじめた。

「ちょうど、おふたりのご註文にぴったりの話がありますよ。宇宙で最も苦しかったことと、すぐそれにつづいた夢のような星の話が……」

……なにしろ、その時は、もうこれで最後かと思った。熱気をおびた岩ばかりの星から飛び立って、しばらくしてからのことだった。

宇宙船内の貯蔵食料はつきるし、そのうえ困ったことに、船内の温度調節器が故障したため、内部の温度がどんどん下がりはじめた。修理しようにも、部品がなくてどうしようもない。

たえがたい空腹と寒さとが私に迫ってきた。とても助かりそうにない。おそいかかる不安と恐怖とを払いのけながら、私は暗黒の空間をさまよいつづけた。

このままだと、やがては飢えか寒さのために死んでしまう。しかし、私は希望を捨てず、あくまでがんばった。

そして、気力のつきる寸前、はるか前方にひとつの星をみつけた。それを目ざすことに最後の努力をしたのだった。

たどりついたところで、食料になるものはなにもないかもしれない。また、極寒か高熱で、生存できない温度かもしれない。有毒な大気の星かもしれない。しかし、そうだとしても、もともとではないか。このまま宇宙空間で死を迎えるよりは、少しでも可能性のあるほうを選ぶべきだ。

空腹で力がこもらず、寒さで凍りつきかけた手をなんとか動かし、無事に着陸することができた。そのとたん、この悪夢のような苦しみは、煙のように消えていった。よろめきながら宇宙船を出ると、地上はさわやかな気候だった。深く呼吸すると、空気はすがすがしく、いい花のかおりが含まれていた。

まわりには美しいお花畠がひろがり、少しはなれて街が見えた。それは流れるような曲線と落着いた色彩を持つ建物から成っていた。芸術的であり、機能的であり、清潔でもあった。

しかし、私は疲れており、とても街までは歩けそうになかった。だが、住民たちのほうが私をみつけてくれた。

住民たちは私のほうを眺め、お互いになにごとかを話しあい、相談しているようだった。その内容がわからないので、私はいささか不安だった。しかし、その不安もやがて消えた。

住民たちは私のそばへ来た。彼等の表情がにこやかであり、彼等の動作の優雅で上品であったことは、いまだに忘れられない。

しかも、態度ばかりでなく、じつに親切に私をいたわってくれた。言葉は通じなくても、私の様子から事情を察してくれた。すなわち、すばらしい味の食料を宇宙船につみこんでくれたばかりか、優秀な温度調節器さえもとりつけてくれたのだ。しかも、なんの代償も要求しない。

そのおかげで、私はその後の宇宙の旅を、支障なくつづけることができた。しかし、ただひとつ残念だったことは、この高度の文明を持つ星をゆっくり見学できなかったことと、あの上品な住民たちともっとつきあえなかったことだ。

私はその希望を示したのだが、住民たちは、とてもほかの星のかたにお見せするような星ではありませんと、身ぶりで答えた。けんそんの美徳にあふれているのだ。そうなると、私も無理にとは言えなかった。本当にいい人たちばかりだった。あの笑顔は忘れられない。

物質と精神とが、ああまで高められている星があるとは思わなかった。いま思い出しても、夢のような気持ちになる……。

エフ博士の話が一段落すると、来客の人たちがおせじを言った。

「じつに運のいいことでしたね。いや、運だけではないかもしれません。博士の上品なお人柄のおかげでしょう。それを住民たちがみとめて、親切にしてくれたのでしょう」

「いやいや、私など、それほど上品では……」

と答えながらも、博士はまんざらでもなさそうに笑い、高価なブランデーのグラスを傾けた。

その時、召使いの一人が博士のそばへ来て、なにやら耳にささやいた。

「なんだ。急用でないのなら、あとにしてもらいたいが」

と、ぶつぶつ言いながら立ちあがった博士に、召使いは話した。

「じつは、玄関にみなれぬ男がやってきました。お客様ではなさそうですが、万一のこともありますので、いちおうご相談申しあげたのです」

博士はものかげから玄関をのぞき、この寒いのにオーバーなしで立っている、うすよごれた男を見出した。古い知人でもなく、まったく見知らぬ男だった。博士はふきげんな声で召使いに言った。

「まぬけめ。もっと気をきかせて判断を下せ。あれはただの浮浪者だ。こんなことをいちいち私に相談するな」

「申しわけありません。なまりの多い言葉なので、なにを言っているのかよくわからなかったのです。では、すぐに追い払いましょう」

腕に力をこめてそれにとりかかろうとする召使いにむかって、博士は言った。

「まあ、待て。早く追っ払うべきだが、あまり薄情なことをしてはいかん。よそへ行って、私について悪い評判をしゃべられてもつまらない。食事のあまりものと、ぼろの古オーバーでもやって、ていさいよく帰らせるのだ。いかにも親切そうに、上品な笑顔でな」

エフ博士は召使いに命じ、楽しげに、来客たちのいる広間に戻る。博士はたしかに優秀な頭脳の持ち主だった。しかし、ぼろの古オーバーと食事のあまりものをもらうあの浮浪者と、あの星で温度調節器と食料とをもらった自分とを同じような立場だったとは考えようともせず、みとめようともしないのだった。

――「向上」1967年2月号

ある未来の生活 すばらしき三十年後

三十年後、高層アパートの四十階に住むN氏の家庭生活をのぞき、未来の一部をえがいてみることにする。あるいは、みなさんが将来、このような生活をするかもしれないからだ。

すべてが自動装置

朝、N氏はベッドの上で眠り、夢を見ていた。こわい夢だ。昨夜ねる前に、夢のダイヤルをスリルの目盛にあわせておいたからだ。

装置はその働きによって、未知の惑星を訪れて怪物と戦うという夢を見せてくれた。しかし、精神や肉体に害をおよぼすほどの恐怖ではない。最後には、めでたく怪物を退治するようになっている。

「どうだ、おれの強さを見ろ」と、いい気分になったとき、ベッドがゆれはじめた。午前八時の起床時間になると、自動的にベッドが動くのである。

さらに、壁の穴から白い霧が流れ出し、顔の上にただよった。これには頭をすっきりさせる成分が含まれているので、吸ったとたん、目が完全にさめてしまう。つづいて、耳につけていたイヤリング型のスピーカーがささやきはじめる。

「きょうは三月の二十日。出勤なさる日でございます。天気は晴。気温は二十度で暖かです」

N氏は起きあがって窓のそとを見る。特殊ガラスのため、眠っているあいだは光を通さないが、起きると同時に透明となるのである。ビルのむれが整然と並んでおり、その上に青空がひろがっていた。

天候の人工管理ができるようになり、スモッグを散らしたり、好きな時に雪を降らせたりすることが可能になった。しかし、気候の管理はこれからである。どの地方においても、冬も夏も変わらずにおだやかな天気、という状態を作りあげるには、大がかりな自然改造をしなければならないからだ。

N氏はまくらもとにあるピストル型のものを手にとり、壁にむけて引金をひく。これが新聞なのである。眠っているあいだに電送された記事が、壁に映写される。引金をひくたびにページが変わるのである。

それを読み終わってから、浴室にはいる。そこには自動洗顔器があり、たちまちのうちにさっぱりする。これは各人の顔の形にあわせて作られていて、あらゆるよごれを落としてくれるのだ。歯も白くしてくれ、ひげもそってくれ、髪の毛がのびていたら切ってくれ、好きな髪型にととのえてくれる。

それから食堂に行くと、夫人もむすこのミノルもテーブルについていた。

「おはよう」

とあいさつをかわしあい、それぞれ、テーブルの上の色とりどりのボタンを押した。あたたかい紅茶、つめたいミルク、できたてのパンなどが、それに応じてあらわれてくれる。あまり複雑なものは出てこないが、朝食ならこれでいい。

食べ終わってからボタンを押すと、いまの食事で不足だった栄養分を含んだ錠剤が出てくるから、それを口にほうりこむ。

N氏はそれから出勤。へやのすみに立つと、外出用の上衣(うわぎ)が自動的にあらわれる。忘れ物をすることはない。財布も手帳も、かすかな放射能をおびさせてあり、それがポケットにないと、装置が注意して知らせてくれるのだ。

文明は永久に進歩する

自動ドアが「いってらっしゃいませ」と声を出しながら開く。このドアは住んでいる人を見わける力を持っており、ほかの人だと内部からの許可がない限り開かない。ビルの地下から地下鉄に乗る。ゆったりとした美しい座席である。出勤日は休日と一日おきになっており、各会社間で出勤日を調整しているため、むかしの人が想像するほどラッシュにはならないのだ。休日がさらにふえたら、車内を改装し、ねそべったまま通勤できるようにする計画もある。

未来になり、大部分が自動化されたからといって、働かないですむわけではない。文明の進歩がとまればべつだが、そうならない限り、人間は生産的な仕事に従事する。たとえば、さらに完全な人工心臓を作るにはどうしたらいいか。電子計算機をさらに小型にするにはどうしたらいいか。宇宙旅行中の退屈をやわらげるにはどんな方法がいいか。遊びながら創造力を高めるゲームはできないものか。大量生産といったことを考え、実験し、試作品を作り、改良すべき点を検討する。大量生産に移ってからは機械がやってくれるが、人間でなければやれない仕事は限りなくあるのだ。

人間は一つの希望が満たされたからといってそれで永久に満足するものではない。さらにべつな、よりよい状態を求め、それを満たそうと努力する。かくして文明が進んできたわけであり、これからもそうだ。そして、この進歩がつづく限り、それにともなって無数の仕事と産業が、つぎつぎとうまれてゆくのである。

文化とはバラエティなり

N氏とミノルとが家から出たあと、夫人は壁のボタンを押した。自動掃除機があらわれ、壁や床や窓ガラスをくまなくはいまわり、あらゆるよごれをとりのぞいた。

それがすむと、夫人はまたべつなボタンを押した。バルコニーがそとへとのびる。日光に当たりながら草花のせわをするのが夫人の趣味なのだ。

趣味といっても、むかしのようになんとなくやっているわけではない。そこに創造力が加わらなければならないのだ。

夫人は、ピンク色のスズランの大きな花を咲かせようとしているのだ。これに成功したら、人々に自慢できる。

それには植物学についての勉強をしなければならない。テレビ電話を図書館にかけ、新しい文献を見せてもらったり、植物ホルモンの組合わせ法をくふうしたりする。ときには、植物園の付属サービス・センターに出かけ、種子に特殊な放射線をあててもらったりすることもある。

このように、趣味もこまかく分化し、高度になっている。そして、できたものが好評だと、名誉も大きい。かくして、人々の生活はさまざまなバラエティをおびてゆくのである。

文化とはバラエティのことでもある。傾向のちがったもの、感じのちがったものが、たくさんあればあるほど、社会が楽しくなってゆくのだ。新しいものを一つ作り出す楽しみ、たくさんのもののなかから自分の好きなのをより出す楽しみ、この二つが関連しあってこそ、生活が多彩になってゆくのである。

機械が先生

むすこのミノルは学校へ行った。学校ですることといえば、友だちとつきあうことと、いろいろな機械の動かしかたを習うことだ。社会が機械化し、細分化するにつれ、人間どうしのつきあいはいっそう重要になってくる。ひとりぼっちの心ばかりになると、自分がなんのために生き、なんのために働き、なんのために学んでいるのかわからなくなり、世の進歩のブレーキになるからだ。

機械の動かしかたも、よく身につけておかなければならない。ロケットの航行中に事故が起きたらどうするか、海底で人を救助するにはどうするか、といったことを実際に習うのだ。

勉強は学校ではやらない。といって、まるでしないのではない。午後、自宅に帰ってから、学習装置でやるのである。

この装置は、問題がわからなければ、何回でもくりかえして教えてくれる。どんなつまらない質問も、装置が相手なら、はずかしがらずにすることができる。装置にはスクリーンがついていて、つぎつぎに図があらわれる。もちろん、そのあらわれる速度は自由に変えられるのだ。

ひととおり終わると試験がある。採点はすぐになされ、合格点がとれないと、装置のムチが動いてお尻をひっぱたかれる。それほど痛くはないが、機械にひっぱたかれるのはなさけない気分で、そんな目にあわないよう、みな努力する。合格点だと、装置は「ごりっぱな成績でございます」とていねいなことばでほめてくれる。

食事は大切な娯楽

夫人は夕食を作りにかかった。ボタンを押せば、どんな材料でも出てくる。むかしは早いところ腹に入れればいいというのが食事だったが、この時代では一つの娯楽である。味を楽しむことなくあくせく生きるのは、大切な人生をむだにすることだと、だれでも知っている。

夫人は腕をふるって料理を作った。新しい調味料がいくつも開発され、その組合わせかたもたくさんある。また、いくら食べても消化器を害さない食品材料もできているのだ。

N氏が帰宅し、みなは食事をした。ゆっくりと食べながら、つぎの休暇の旅行計画を相談した。世界のどこへでも、簡単に行ける時代なのだ。

食事がすむと、みなはテレビを見た。大きな立体テレビで、チャンネル数は五十ほどあり、世界各地はもちろん、月や火星からの放送も定期的にある。

みなは未来ものの番組を見た。そこには、数十年前の人が想像もしなかったような、すばらしく高度な生活が紹介されていた。

――「英語フレンド　2年」　1967年4月創刊号

屋上での出来事

晴れた日の午後の、ビルの屋上。人影はなく、ただ風だけが遊んでいた。下のほうからは、都会のざわめきがわきあがっていた。ひとりの青年がこの屋上にやってきた。うれしそうな明るい表情をしている。彼のポケットには、いまもらったばかりのボーナスの袋が入っているのだ。

手にした時の感触では、かなりの金額のように思われた。このビルのなかにある彼のつとめる会社は、今期は相当の業績をあげ、彼もまた仕事を熱心にやったからだ。

しかしこの青年、会社での仕事ぶりはいいのだが、欠点がひとつあった。個人的なこととなると、金銭にちょっとだらしない。いい気になって毎日のようにバーで飲んだり、欲しいと思うと見さかいもなく品物を買ったり、その品物を気前よく友人にやったりで、いつも金の余裕がない。

しかし、いま、まとまったボーナスがもらえたのだ。なかの金額を早く知りたがったのも、むりはない。それには、ひとけのない屋上が適当な場所だ。

これでバーの支払いをし、洋服屋への残金を片づける。もしあまったら、あれを買い、旅行をしと、使い道をいろいろと考えようというのだった。胸の奥で小さな動物がさわいでいるような、楽しさと緊張のまざった期待……。

青年は屋上の片隅にたたずみ、袋の封を切った。

その時、そばで声がした。

「ねえ……」

袋のなかにこもっていた声が、飛び出してきたかのようだった。女の声。これまで耳にしたこともない、やさしく、それでいて、はっきりした響きをおびた声だった。

青年は袋のなかを調べるのをやめ、思わずふりむいた。そこには女が立っていた。いったい、あなたは……。と青年は言おうとした。だれなのだ、いつのまにそばへ来たのだ、ぼくになにか用事なのか、などといったことを聞こうとしたのだ。

しかし、女を見たとたん、言葉が出なくなった。その原因は相手の美しさにあった。若いようだが、年齢の見当はつかなかった。妖精の如きあどけない感じもするし、目には理知的な澄んだ輝きがあり、口もとにはなんでも知っているような謎めいた微笑があった。服装は上品で、どことなく異国的だった。青年が息をのんでいると、女は言った。

「ちょっと、それを貸して……」

軽やかな口調だったが、信頼感を含んでいて、なぜかさからえない力を持っていた。青年は魅入られたように、手の袋を渡した。それを女は受取り、彼をじっと見つめて笑いをかえした。美しさが光りながら発散し、青年はまぶしげに目をそらせた。

そして、ふたたび相手を見ようとして……。

しかし、もはやそこに女の姿はなかった。

呆然（ぼうぜん）とした時間が流れ、青年はわれにかえると、あわてて屋上からの降り口にかけこんだ。階段をおりかけた時、ちょうど下からのぼってきた同僚が、青年に声をかけた。

「きみも屋上でボーナスの確認か。しかし、どうしたんだい、妙な顔をして」

「いま、女とすれちがわなかったかい」

「いや、気がつかなかったな」

そう聞いて青年は戻り、屋上をくまなくさがした。だが、女はどこにもいなかった。空気のなかにとけこんだかのように……。青年はさらに手をつくした。ビルのなかのエレベーター係に聞き、ビルの入口の受付係に聞き、ビルのそばの交番でも聞いた。

しかし、だれも知らないという。あれだけ美しく、人目をひく女なのに……。幻影か夢のようだった。彼自身もそんな気がした。だが、ボーナスのなくなったのは現実だった。これには青年も弱った。だれかに泣きついたり訴えたりしようにも、盗難の証拠がないのだ。狂言だと思われるし、熱心に主張すれば頭がおかしいと思われてしまう。さっきまでの、金を使うことへの楽しい空想も、めちゃめちゃになってしまった。夢が破れただけなら、まだいい。支払わなければならない金のしまつが問題だった。

つぎの日から、青年は生活と性格を変えなければならなかった。頭を下げて支払い延期をたのんでまわり、だらしなかった金づかいをあらため、毎月の給料のなかから計画的に払っていった。ほかに方法がないのだ。

「きみはこのごろ様子が変ったね」

と同僚が言うと、青年はこう答える。

「ちょっとしたことがあってね。心機一転せざるをえなくなったのさ」

青年のこの生活はつづいた。時たま、あの女はなにものだったのだろう、なぜあらわれ、なぜ消えたのだろうと考えてみる。しかし、わからない。そして、もう一度あえないものかなと、ひそかに期待するのだった。しかし、めぐりあうこともなく、月日がたっていった。青年の頭からは、あの奇妙な体験の記憶もうすれていった。

彼はやがて恋をした。その女性は、いつかの幻の女とどこか似たところがあった。青年がそんな女性にひかれたのも、むりもないことかもしれない。

恋は高まり、青年は結婚に進みたいと考えた。だが、ひとつ障害が残っていた。ひとといっても、それは大きな問題だった。結婚のための資金がたりないのだ。こんなせつないことは、人生にめったにない。金のために愛の結実、恋の成果がさまたげられるとは……。

ある日、青年はビルの屋上にあがって、ひとりでそっとため息をついた。やはり結婚をあきらめなければならないのだろうかと。その時、女の声がした。

「ねえ……」

ふりむくと、いつかの幻のような女が立っていた。青年はあの時のうらみを言おうとしたが、神秘的な顔を見ると、それも出なかった。すると、女が言った。

「いつかお借りしたもの、おかえしするわ。はい、これ……」

しかし、渡されたものは、彼の名をきざんだ印鑑と一通の証書だった。ふしぎがる青年に、女はさらに言った。

「あの時、あなたの名儀でそっくり預金しておいたのよ。利息がついて、けっこうふえているはずだわ」

「いったい、あなたはだれで、なぜこんなことをなさったのです」

青年はやっと、これだけ言えた。

「あたしは運命の女神。ほっとくとあなたがどうなるか、ちゃんとわかっていたの。そこで、あなたの運命にちょっと手を加えちゃったわけだけど、悪かったかしら……」

「いいえ、とんでもない。お礼の申しようもありません。おかげで、恋人と結婚することができます。だらしなかった性格もなおりました。しかし、ひとつお聞きしたいな。なぜ、ぼくにこうも親切に力を貸してくれたのです」

「本当をいうとね、あなたにじゃなく、あなたの恋人の女性のためにやったことよ。あたしとどことなく似たところがあるので、なんとなく気になって、しあわせにしてあげたかったからなのよ。こんなこと打ちあけて、お気を悪くなさったかしら」

「いいえ、感謝の心は変りません。どっちにしろ同じことです」

「じゃあ、これでお別れよ。おしあわせにね」

「ちょっと待って下さい。あなたが運命の女神なら、ぼくたちの将来もごぞんじなのでしょう。幸福になれるのか……」

しかし、女神は答えず、微笑だけを残してどこへともなく消えた。そうならないのだったら、わざわざこんなことはしないでしょう、という意味の微笑を……。

——「東洋信託銀行（ＰＲ誌）」１９６７年５月号

おとぎの電子生活

ほどよく冷暖房のきいた室のなか。オゾンの多いすがすがしい空気が、うすぐらいなかをゆっくりと循環している。

ベッドの上では、ひとりの青年が眠っていた。彼は夢を見ていた。江戸時代の若様になった夢だ。のどかで、おだやかで、いい気分だった。

これは人工夢発生装置の作用である。薬品による幻覚はあとに副作用を残すが、エレクトロニクスの応用であるため、目がさめればなんの問題もない。

やがて、壁の時計が八時を示した。と同時に、連動している装置が働き、ベッドが軽くゆれ動き、青年の目をさまさせた。このききめのない時は目覚まし用の霧が流れ出てくるのだが、彼はそのお世話にならなかった。

しかし、すぐには起きあがらない。ベッドにとりつけられている健康診断器が、彼のからだをくわしく調べた。脈、血圧、その他をはかるのだ。やがて、スピーカーが声を出した。

「異常はまったくございません。昨夜お飲みになったお酒も、あとをとどめておりません。きょうもお元気でおすごしになれます」

この診断器は、測定したデータを健康センターにある電子計算機に送る。結果はすぐにもたらされ、いまのような声となって告げられるのだ。

もし異常があると、すぐに指示が送られてくる。大変に便利なものだが、仮病が使えないのだけはちょっと困る。適当に診断書を作ってもらうわけにはいかないからだ。

健康センターのカルテは原則として公開である。いかなる病気も治る時代に、秘密にしておく必要はないのだ。

青年はベッドからおり、シャワーをあびた。自分の顔型にあわせて作られている美容器に顔を押しつけると、ひげが一瞬のうちにそられてしまう。乾燥した空気噴射にあたってから服を着た。

もちろん、服はいつも自動的に洗濯され、清潔である。好みの香水がかすかにしませてもある。

朝食にかかる。配達してもらう食品はほとんどない。電子調理機を使えば、いつでも焼きたてのパンが口にできる。冷凍のくだものも、すぐに食べられる状態になる。

彼は食事をしながら、テレビのニュースを見た。ニュースは好きな時間に見ることができる。家庭用ビデオテープがいつも最新のニュースをキャッチしていてくれるので、ボタンひとつですぐにうつるのだ。

ニュースは火星の開発状況、南米で新しく作られた新リズムの踊りなどを報じていた。

平和なことばかりで、血なまぐさい犯罪のニュースの少ないことが、昔を知る者にはちょっと物たりない。むりもない。各都市の上空には静止衛星がうちあげられ、高性能のカメラで地上を撮影しつづけているからだ。このフィルムで調べられたら、犯人の逃げるのは容易でない。なお、防犯科学も驚異的に進んでいるのだ。

この室は高層アパートの二十階にある。窓から眺めると、花と噴水でいっぱいの広い公園のまわりを、このような高層ビルが取りかこんでいる形だ。

空は晴れ、スモッグはない。エネルギー革命で、石油から電気の時代となったからだ。燃料も自動車もすべて電気。核融合動力の時代となり、きわめて豊富に使えるのだ。

青年は会社に出勤する。アパートの地下駐車場におり、車に乗る。高性能の自動車だ。通勤ボタンを押すと、車は道路に埋めこまれた線の発する電波を追って、事故もなく自動的に会社にむかってくれる。

会社はそう遠くなく、十分ほどでつく。車など不要ともいえるのだが、急に出張を命じられた時など便利なのだ。車には通信機、記録装置などがとりつけてあるので、すぐに出発できる。もちろん、車ごと航空機で旅行できるのだ。昔のカバンの如きものと思えばいい。

青年のつとめる会社は、宇宙関係の大きな企業だ。それなのに、こんなに近くに住めるのは理由がある。会社の各部や各課が分室となって分散しており、各人がその近くに住んでいるのだ。

なにもかも本社のビルに集めるのは時代おくれ。通信装置の発達で、本社と緊密に連絡がとれていれば、分室がいかにはなれていようと事務に支障はない。

いかなる書類も連絡ひとつで、本社のファイルから電送によって瞬時に手に入る。ビルのなかを歩きまわるより、このほうがはるかに能率的だ。

それに、事務所分散方式が普及したため、通勤地獄がまったく消えたのだから、申し分ない。もっとも、部長会議や課長会議は本社で開かれることになっている。やはり、なま身の人間が顔をつきあわせる必要もあるのである。

青年がこのところ取り組んでいる仕事は、宇宙船内の壁の色や模様をどうすべきかという問題だ。電子計算機もあるていどまでは資料を出してくれるが、最終的な選択となると人間がやらねばならない。

けっこう頭を使う課題だ。青年は各方面にテレビ電話をかけたりし、意見を集めた。

青年は仕事をやりながら、頭の片すみで、ある女性のことを思った。このあいだ、古代博物館に行った時に知りあった女性のことだ。彼は、その後何回かつきあった。

この時代に、デートする場所はたくさんある。少し行けば一年じゅう人工雪ですべれるスキー場もあるし、そのそばには一キロ四方の温水プールもあるのだ。

二人はつきあっているうちに恋がめばえ、青年は結婚したくなってきた。だが、それをどう切り出したものかわからず、悩んでいる。この悩みだけは昔と変りない。

青年は昼休みになるのを待ち、個人用電話を世界図書館にかけた。そこには、有史以来、人類が残したすべての文献がおさめられている。つまり、それまで各国の図書館にあったものを、マイクロフィルムにとり一カ所に集めたものだ。

すべてが分類整理され、文明と情報の宝庫ともいえるものだ。太平洋上の浮島にあり、通信衛星でだれとも結ばれている。料金さえ払えば、なんでも教えてくれる。もちろん、翻訳機により、好みの言語になおしてくれるのだ。

青年に対して、電話のむこうの声が言った。

「どのような分野についてお知りになりたいのでしょうか。科学、芸術、歴史……」

「人間関係について知りたいのだ」

電話のむこうでカチリと音がし、担当の係がかわった。

「人間関係のうち、集団対集団、個人対集団、個人対個人のなかで、どれでございましょう」

「個人対個人だ」

また、カチリと音がした。

「はい。個人対個人のうち、親子、夫婦、兄弟、友人、ビジネスなどのうち、どれでございましょうか」

「恋愛だ。どう打ちあけたものか教えていただきたい」

また、カチリという音。

「はい。おたがいのくわしい状態をお教えください」

それに応じ、青年は自分の年齢、職業、趣味、性格、健康状態などを告げ、さらに相手の女性に関することも教えた。しかし、期待したような答ではなかった。

「申し訳ございませんが、当方にはそれにぴったりの記録はございません」

「これは驚いた。恋愛とは各人各様、無限の変化があるものとみえるな」

「はい。似たような場合を例にあげてもよろしいのですが、不正確は許されません。ですから、料金はおかえしします。なお、あなたの恋愛の進展をあとでご報告いただければ、謝礼をさしあげます。当館の資料がそれだけ豊富になるわけでございますから……」

「ああ、考えておくよ……」

青年は少しがっかりした。こうなると、自分でやらなければならない。

彼は決心し、計画をたてた。

その日の夕方、彼女とデートをしたのだ。街から少しはなれたところにある自然公園だ。いつも花が咲いているし、虫も鳴いている。小鳥やリスもたくさんいるのだ。

この区域は気温が保たれているので、夜になるとホタルも美しく飛びまわる。

二人はベンチに腰をおろした。青年は胸のなかで何回か言葉をかみしめてから、それを口にした。

「きみを愛しているよ。結婚したいんだ」

その心のこもった微妙な口調は、すぐ相手の心に通じた。祝福すべき結末。この心のときめきだけは、まだ当分のあいだは、機械では得られないものであろう。

——『未来にいどむＮＥＣ—日本電気—』フジ出版社（１９６７年刊）

夢への歌

デパートの前に　パンの像と人魚の像があった。あたりに人通りのたえた夜ふけ　パンの像が話しかけた。

「ちょっとたいくつだねえ」

人魚の像が答える。

「ええ　昼間は大ぜいの人が通るから　それを眺めたり会話に耳を傾けていれば面白いけど夜になるとね……」

「どうだい　歌をうたってくれないかい」

「その笛で伴奏していただければ……」

人魚の歌声は海の底のように美しくデリケートだった。パンの笛は野や山で踊るように陽気だった。おたがいに顔をみあわせて笑う。

しかし　やがて調子があい　みごとなメロディーとなった。

春の水面（みなも）を流れる花びら　月の光をあびる古い塔　陽にきらめく入道雲。それらの

なごやかさ　静かさ　明るさを集めたような美しい曲だった。
もちろん　たまたま通りがかった人があったとしても　それを耳にすることはできない。現実の音ではないのだ。その音は幻の空間を伝わり　眠っている人びとの夢のなかへと流れてゆく。
その日から　それに感じた人びとの夢はこころよいものとなった。ひとり荒野をさまよう夢は　花園で仲間と楽しむ夢になる。おばけに追いまわされる子供の夢は　反対にやっつける夢になった。というぐあいに……。
そして　あるひとりの青年の夢も　また変化した。彼はいささかおとなしすぎる性質であまり　友人がなかった。ましてガールフレンドも。せめて　夢のなかでもいいから恋人を持ちたいと願っていたが　それもむなしかった。
しかし　その日から願いがかなった。夢のなかで若く感じのいい女性と知りあいになれたのだ。しかも毎晩あうことができる。
彼はその女性に　贈りものをしたいと思うようになった。夢のなかの女性に渡すなんてむりな話なのだが　それを試みないと気がすまない気持ちだったのだ。
彼はデパートへ出かけ　贈りものの品を買った。今晩ねむる時　これを手ににぎっていよう……。

そう考えながらデパートを出ようとした時　彼は「あら」という声を聞いた。視線をむけると　そこに夢のなかの女性が立ちどまっているではないか。

彼女が青年を見て思わず呼んでしまったのも　当然のことだった。なぜなら　毎晩彼女の夢にあらわれる　おとなしいがまじめな青年をそこに見かけたのだから……。

――「Young Seibu」１９６８年４月19日渋谷西武開店広告

最後の大工事

遠い星々を調査するため、小型の宇宙船が出発した。しかし、帰ってくるはずの期日になっても、なんの連絡もない。みながあきらめかけた頃になって、やっと地球へ戻ってきた。操縦士は報道関係者たちを前にして言った。

「ご心配をおかけしました。私の宇宙船が消息を絶ったため、遭難したとお思いになったことでしょう。事実、不測の事故のため、ある星に不時着したのです」

「そうだったのですか。で、それからどうしました」

「そこはパミ惑星といい、高度な文明を持つ、親切な住民たちの星でした。彼らのおかげで故障もなおり、ふたたび宇宙の旅をつづけることができました。そして、このように帰ってこれたというわけです」

高度な文明という言葉で、みなは興味を抱いた。いままで知る範囲では、そんな星はなかったのだ。ひとりが質問した。

「どんなふうにすぐれていたのですか」

「たとえば、気候です。どの地方も住みよい気候でした。高い山脈を削って気流をうまくコントロールし、海の一部を埋めたりして寒暖の海流を適当に変えたりしたためです。つまり、自然改造の工事が完成しているというわけです。ですから、交通、住宅、港湾などのととのっていることは、いうまでもありません」

「地球よりずいぶん進んでいるな。地球では、まだ極地は寒く、赤道付近は暑い」

人びとは感心し、ざわめいた。操縦士は話をつづける。

「敬服するばかりです。そこで、そのような大規模な工事をするありさまを拝見したかった、と言ったわけです。すると、パミ星人が答えました。それでしたら、最後の工事をやっていますから、ごらんになりますかと」

「そのような進んだ星で、最終段階の工事にめぐりあえるとは、幸運でしたね。で、どんな工事だったのです」

だれもが知りたがることで、みな身を乗り出した。操縦士はうなずきながら言う。

「この機会をのがすべきでないと、私も思いましたよ。さっそく出かけ、宇宙船にあったフィルムのある限り、それを撮影してきました。だから、帰るのがおくれたのです。なにはさておき、それをごらんにいれましょう」

映写の用意がなされた。そして、その映画がうつされはじめた。

まず、スクリーンに山脈がうつる。くわしい測量や計算をしている工事関係者がうつる。それがすむと、爆発作業。原子力の利用だが、他の地方へ影響が及ばないよう、慎重におこなわれている。

多数の建設機械が能率的に動き、土砂を海まで運ぶ。平坦(へいたん)になったあとは整地され、コンクリートでかためられ、ビルが建ってゆく。画面のはじには、多数の見物人もうつっている。最終工事だというので、見物しておこうというのだろう。

観客のだれかが言った。

「なるほど、大変な大工事だ。建設機械のなかには、われわれの参考になるものもある。しかし、なににもまして驚くべきことは、その規模だ。パミ星では、このようにして自然改造をなしとげたというわけか。これで最後の工事が終了なのですね」

だが、操縦士は頭をふった。

「そうお思いになるでしょう。私もそう思いました。しかし、そうではないのです。映画をごらん下さい。まだ、つづきがあるのです」

みなの見ている画面には、完成した都市がうつっていた。しかし、まもなく予想もしなかった光景が展開されたのだ。

できたばかりのその都市の、とりこわしが開始された。ビルがこわされ、地面のコンクリートがはがされ、捨てられる。そればかりでなく、海から土砂をすくいあげ、もとの場所に運び、盛りあげる作業となる。

「これはなんです。いまのフィルムの逆まわしですか」

とだれかが聞く。

「そうではありません。よくごらんになればおわかりでしょう。爆破とちがって、盛りあげるほうは手数がかかります。彼らは、すべてをもと通りにしようとしているのです」

「どうもそうらしいな。いったい、どういうわけだ。まるで気ちがいだ」

「気ちがいだったら、これだけの文明は築けません。彼らは正気でやっているのです。計算ちがいで、削るべきでない山を削ってしまったのかとも思いましたが、そうでもないのです」

「すると、あれだな。地球でもむかしあったそうだが、失業救済のための工事というやつか」

「そうでもありません。失業などという社会問題は、パミ星にはないのです。景気振興のため、不要な工事をするという経済組織でもないのです」

映画の画面には、もとのようにできあがった山脈がうつっていた。これで無意味な、わけのわからない工事も終りかと思ったら、まださきがあった。

また測量がはじまり、計算がなされ、山を爆破し、土砂を片づける。

理解を越えた光景に直面し、観客たちは首をかしげた。

「正気でやっているのだとすると、早くいえば練習のようなものだな。軍隊もたえず演習をやっていないと、いざという時の役に立たない。それと同じに、建設の仕事も練習をやっていないと、いざという時に腕がにぶるからだろう」

「そうでもありません。パミ星には、いざという場合などないのです。気象はコントロールされ、治水も完全ですから、台風などによる被害もない。地震の予測や耐震のそなえも万全で、その心配もない。必要な工事といえば、補修ぐらいのものです」

映画は進み、山脈がつぶされて街ができたが、その第二回目の街も、できると同時にとりこわされはじめる。

「なんということだ。気ちがいでも練習でもないとしたら、趣味としか考えようがない。腕時計を分解したり組立てたりする趣味を持っている人があるが、当人には楽しいものらしい。それとは比較にならないほど大がかりだが、文明が進むとありえないことではないのかもしれない。パミ星の人たちは、大工事をつづけてきたので、いつのまにか趣味になってしまったのだろう」

「そうお思いになるのも、むりないことです。しかし、趣味でもないのです。私も自分で謎(なぞ)をときたかったのですが、どうにもわからない。とうとうたまりかねて、パミ星人に聞きました。そして、ちゃんとした目的と必要性と効用があってのことだと教えられ、なるほどと感心したわけです」

「まさか、そんなことがあるものですか。なんの役に立つのです」

映画を見おわり、みなは信じられないという表情で言った。さいそくの視線をあび、操縦士は説明した。

「それがあるんですよ。早くいえば、教育ということになりましょうか。パミ星は自然改造がすんでしまった。住みよい星となったわけですが、そのままだと、その大工事の苦労は忘られてしまう。人びとは、この星ははじめからこういう星だったと思いこんで、少しもありがたがらなくなる。たとえ頭では理解しても、実感のともなったものではないわけです。そこで、実地に見せて、教育する必要があるのです……」

「ふむ……」

「ああいう大工事が長い年月にわたり、全地表でおこなわれたと知らせるのです。見ているほうは、現在の幸福はもとからあったのではなく、ああいう苦労の限りないつみ重ねの上に築かれたものだと考え、ありがたみがわくのです。全住民の心のなかの幸福と感謝の念が保てるのですから、一見むだなようでも、充分に採算がとれているわけです。そして、この工事は永久につづけられてゆくのです」

「そういうものだろうか……」

みなはそれぞれ複雑な感情でつぶやいた。

――「轟（川崎車輛PR誌）」1968年5月号

ケラ星人

SF大会がなごやかに開かれている時、しのびこんでいたケラ星のスパイが、とつぜん怪しげな……。(以下、来年の大会のプログラムにつづく。大長篇連載開始)

——「TOKONⅣ」プログラム・ブック(1968年8月31日発行)

ほほえみ

あたしはなぜ、こんなところに立っているのかしら、と、その女は思った。これはどこへ行く道。いくら考えてもわからなかった。

そのうち、一台のバスが静かにやってくる。あれに乗ればいいんだわ。行くべきところに運んでくれるでしょう。

停車したバスに乗る時、彼女はちょっとほほえむ。それを見てバスの車掌は制止した。

「あなたは乗れません」

「なぜなの。空席はあるじゃないの。それなのに、ほかの人だけを乗せて……」

「あなたはいま、顔にほほえみを浮かべた。それのまだできる人は乗れないのです」

車掌は車内の掲示を指さした。たしかにそう記されている。とまどう彼女を残し、バスは道のかなたへと去っていった……。

意識をとりもどした彼女は、自分が病院のベッドの上にねかされていることを知る。

枕(まくら)もとで、医者らしい人の話し声がしていた。

「服毒自殺をするなんて、むちゃですよ。一時はだめかと思いましたが、奇跡的に一命をとりとめたようです。きっと、心の底まで人生に絶望してはいなかったんでしょうね……」

——「女性自身」1968年9月23日号

ある星で

地球からの探検隊は静かさと暗黒のなかを飛びつづけ、広い宇宙空間を越え、ある惑星へと到着した。そこの住民は地球人とあまりちがいのないからだつきで、文明も持っていた。最初のうちは警戒心だの誤解だのでごたごたもあったが、やがておたがいに敵意のないことがわかった。交際がはじまったのだ。

しかし、なにかひとつ、しっくりしない点がある。探検隊員たちは宇宙船にもどり、相談しあった。

「この星の住民たちは、どこか異様だ。頭も悪くなく、文明もある。それなのに、なにかが欠けているような気がしてならない。つめたいというか、そっけないというか……」

「それはわたしも感じた。ここの住民たちは、もしかしたらみなロボットじゃないかとも思えるのだ。ぎすぎすした印象を受ける」

「だが住民どうしがけんかをしている光景を見たぞ。ロボットだったら、けんかをすることはあるまい」

隊員たちは、やがてひとつの仮定をたてた。ここの住民には、愛という感情が欠けているのではないだろうかと。

それをたしかめるため出かけていって住民たちに聞いてみた。

「あなたがたは、愛というものを知っていますか」

「なんですか、それは。よく説明をして下さい。興味あることのようですね」

はたして彼らは、愛なるものを知らなかった。隊員たちはうなずきあい、かわるがわるその解説をはじめた。ほのぼのしたものであり、甘くたのしいものであり、時にはせつなくもなるが、悲しみへのなぐさめともなる。花のようで、そよ風のようで、時に夢のようで、霧のようで、泉のようで、月光のようで、小鳥のさえずりのようで虹のようで……。

こんなにも説明がむずかしいものかと、隊員たちは汗をかいた。だが、その努力はむくわれない。住民たちは首をかしげる。

「さっぱりわかりません。もっとやさしく具体的におっしゃって下さい……」

さらに解説がつづけられたが、住民たちにはいっこうに通じない。あきらめかけた時、隊員のひとりが最後の手段を思いついた。宇宙船にもどり、ひとびんの香水を持ってきたのだ。そのにおいを住民たちにかがせながら言う。

「どうです、なにか感じるでしょう。これですよ」

住民たちの表情に変化があらわれた。いままでそっけなかったのが微妙に変り、うるおいがみちあふれた。

「わかりました。ああ、なんとすばらしいものでしょう。わたしたちの心のなかでずっと眠っていたものが、めざめてきたようです。あなたがたは、愛とはなにかを教えて下さった……」

なごやかさがあたりにひろがっていった。

――資生堂小冊子１９６９年４月号

円盤

着陸した円盤のなかから、ナメクジ型宇宙美女やフグ型宇宙美男がぞくぞくあらわれ、会場内の人びとにキスをするやら、シジジイをするやら、ズバ（註）をするやら、大変なさわぎとなる。

みなが悲鳴をあげると、宇宙人たち「たしかここだと聞いてきたんだがな、求婚大会の場所は……」

（註）翻訳不能の語なり

――「てんたくるす　No.56　KYUCONプログラム号」九州SFクラブ（1969年8月1日発行）

不安

ついにインベーダー星人は今回のSF大会をほぼ完全に制圧したのだ。出席者のすべてがそうなのである。なかには一人ぐらい、地球人がまぎれこんでいるかもしれない。

そいつはいま、ここまで読み、インベーダー星だなんてばかげていると、腹の中で笑いかけたところだろう。だが、なにか不安に襲われて「気のきいた冗談だね」と顔みしりの人に話しかけようとするだろう。

しかし、そんなこころみはむだなのだ。インベーダー星人が地球人に対し「いや、これが現実だよ」などと正直に告げるはずがないではないか。内心をさとられぬよう、笑いながら適当に話相手になってやるだけのことだ。

会場のなかでこれを読んでいる一人の地球人よ。なにもそうあわてることはない。インベーダー星人がSF界を乗っ取ったので、これからの作品はぐんと面白くなるのだ。面白いSFがぞくぞくと出れば、人類の運命なんて、どうでもいいことじゃないか。

――「TOKON5」プログラム・ブック（1970年8月10日発行）

太陽開発計画

暑さをものともせず、さらにSF熱をもりあげましょう。暑さなど、なんだ。人類の未来は太陽にあり。ここに太陽開発計画の構想をのべる。

太陽に行けば、エネルギーは無限にある。冷房装置の動力には不自由しない。無重力装置を動かす動力も、また充分。あらゆる元素が存在し、資源不足になることがない。資源とエネルギーさえあれば、なんでも作れる。表面積が広いから、人口問題など心配することもない。

太陽は天国だ。月や惑星なんかは米ソにまかせ、われわれは太陽の一番乗りをめざそう。こりゃあ、ノーベル賞ものだぜ。おいおい、なんでそんなばかげたことを思いついたのだ。はい、太陽のせいです。

――「DAICON2」プログラム・ブック（1971年8月21日発行）

魅力的な噴霧器

「品物の数がたりないだと。そんなばかな。なにをいうか。こっちは、書類どおりの数を確認の上、渡したのだ」

受話器を手にし、学者がどなっていた。いかにも研究の鬼といった性格。身なりもかまわず、自宅のとなりのこの小さな研究所に、朝から夜までとじこもり、ひたすら仕事に専念する毎日。金もうけより、研究そのものが生きがいだった。彼は話しつづける。

「……製品の性能のことか。そんな質問はわたしへの侮辱だ。これまでに、いいかげんなものを作ったことがあるか。そちらの期待以上の性能だぞ。シュッとやったあと、暗示を与える。それで相手は、たちまち催眠術にかかる。こっちの思うままだ……」

電話の相手は、学問とはまったく対照的な、秘密情報部。外国のスパイに対処する、あるいはそれを逆に利用するいい方法はないかと、この研究所に依頼があった。そこで、この学者が新しい薬品を開発した。つまり、それを吸いこんだとたん、催眠術にかかりやすくなるという作用を持ったもの。

「……秘密の件か。わかっているよ。わたしは決してしゃべらん。書類は燃やしてしまった。製法は、わたしの頭にあるだけだ。分析しにくい物質だし、その合成となると、特殊な触媒を必要とし、それはわたししか知らない。他人には作れないわけだ……」

相手はなにか言い、学者は答えた。

「……使用法なら、その容器に書いておいた。わかりやすい名文だぞ。きみたちのような連中は、すぐに使ってみたくなることだろうよ……」

数のあわない点について、相手は気にしているようだった。

「……運送中に車から落ちたのだろう。いまさらさわいでも仕方ない。紛失は十本たらずのようだな。たいしたことはあるまい。心配なら、調査に乗り出してくれ。そういうことは、そっちのお手のものだろう……」

学者は電話を切った。そして、机にむかい、なにやら数式を書きはじめた。彼は研究していれば満足なのだった。

夕ぐれの街を、三郎は歩いていた。三十歳の彼の心のなかは、あることで一杯だった。大金強奪事件の犯人を追いつづけているのだ。現金輸送車から、巧妙に大金が盗まれた事件。当時は新聞をにぎわせ、人びとの話題になった。しかし、二年たったというのに、まだ犯人があがらない。迷宮入りになりかかっている。彼は縮小された捜査本部にとどまり、いまも幻の犯人を追っている。これを解決しないことには、刑事としての彼の誇りが許さない。

その一帯は盛り場だった。大金を盗んだやつは、こういうところで、いい気になって遊ぶにちがいない。一刻も早く、そいつをとっつかまえたい。それが執念だった。

三郎は、ひとりの男とすれちがった。高価そうな服を着ている。なにか、ぴんとくるものがあった。刑事の勘というやつだ。あとをつけてみる。注意して観察すると、動作がどことなく怪しげだ。内心にやましさを秘めているようだ。追いついて、声をかける。

「あの、ちょっと……」

「なんでしょう」

「お話ししたいことがあります。お手間はとらせません。そこの喫茶店で、お茶でも飲みながら……」

「どなたか知りませんが、いいですよ。ごちそうして下さるとは、ありがたい。それに、することもなく、時間を持てあましていたところです」

男はあとについて店に入り、椅子にかける。コーヒーを注文してから、三郎は聞いた。

「心当りがあるでしょう」

「なんのことやら、いっこうに……」

「では、ずばりと言いますよ。あなたは、二年前の二月一日、どこで、なにをしていましたか」

「そんなこと、急に言われたって……」

「答えたくないんでしょう」

「いったい、なんです。なぜ、そんなことを。どんな権利があって、わたしに質問するんです」

「わたしは刑事だ。現金輸送車からの大金強奪事件を調べているのだ」

「あ、あの事件。それはごくろうさまです。しかし、わたしに聞いたって……」

困った顔になる男を見ながら、三郎は考える。しぶといやつだな。なんとか口を割らせなければ。どうしたものだろう。ポケットに手を入れる。さっき道ばたで拾ったものがあった。見ると、文字が印刷してある。効能、使用法。読みやすく魅力的な文章だった。

それを男の顔に突きつけ、ボタンを押す。シュッと音がし、薬液の霧が噴出する。それを吸いこんだ相手に、三郎は言った。

「ごまかしてもだめだ。おまえが犯人だ」

「はい……」

男はたちまち恐れ入った。作用はすばらしい。催眠術にかかりやすくなり、指示を受け入れてしまったのだ。三郎は大喜びしながらも、きびしい口調で言う。

「さあ、いっしょに警察へ来い。そこで、くわしい調書をとる。これは大手柄になる。おまえは、なにもかもしゃべるのだぞ」

「はい……」

男はすなおに立ちあがり、そとへ出る。

「妙な気をおこし、逃げようとしたりするなよ。罪が重くなる一方だ」

「はい……」

やがて、近くの警察署につく。

「おい、ちょっと部屋をかりるよ。こいつを取調べるのだ」

「よその署のかたのようですな。こんなおそい時間に大変ですね。ちょっとお待ち下さい。上司にうかがってきますから」

と入口にいた警官が言ったが、三郎はその顔の前で噴霧器をシュッとやって言った。

「ぐずぐずしてはいられないんだ。容易ならざる事件なんだ。よけいなことを言わずに、早く部屋を使わせろ」

「はい。どうぞご自由に……」

三郎は男を取調室に連れこむ。

「さあ、机のむこうの椅子にかけて、すなおに犯行のすべてを自白するのだ」

「はい。しかし、どうしてやったのか、よく思い出せないんです……」

「思い出させてやるよ。いいか、おまえら一味は、交差点の信号に細工し、左折禁止、一方通行、通行止などの標識を適当に配置し、現金輸送車をひとけのない場所にさそいこんだ。そこで覆面をして飛びかかり、車内の人たちを気絶させ、金を奪って逃げた。そうだろう」

「はい……」

「やはり、おれの推測どおりだった。世に完全犯罪などありえない。わかったか」

「はい。悪いことをいたしました。心から後悔し、反省しております」

「いい心がけだ。ついでに、共犯者たちの名と、金をどこへやったかを話すんだ」

三郎は勢いづいたが、男は首をかしげる。

「はい。しかし、それが……」

「なるほど、言えないのか。うむ、これも予想どおりだ。巧妙に計画された、グループによる犯行。そのボスだけが、各人の名を知っているというわけだな。発覚しにくいようにと……」

「はい……」

「金の大部分は、そのボスが持っていったのだろう。その名を言え。本名を知らないのだったら、くわしい人相だけでもいい」

「はい。しかし……」

と男は口ごもる。第一、なんにも知らないのだ。催眠術によって、犯人にされているだけのこと。そして、答えるよう強制されている。

「さあ、よく考えて思い出せ。タバコを吸ってもいいぞ」

しかし、男はどう答えたものかわからない。どうしたものだろう。タバコを出そうと、男はポケットをさぐる。なにかが出てきた。噴霧器だった。さっき道でなにげなく拾ったものだ。机のかげで、説明文を読んでみる。魅力的な文章で、使ってみたくなる。

「いったい、ボスはだれなんだ」

せきたてられ、男はそれを突き出し、三郎の顔にシュッとやり、はっきり言った。

「あなたですよ、ボスは……」

薬の効果はてきめん。三郎はうなずく。

「そうだ。おれがボスだった。それにしても、ここはどこなんだ」

「警察じゃありませんか」

「どうりで、いごこちがよくないと思った。こんなところにいるのは、一刻もがまんできない。帰らせてもらうよ」

三郎は警察を出る。

早く犯罪組織の本部に帰らなければならない。だが、その所在地が思い出せない。迷いながら、ポケットに手を入れる。あった。

これを使えば簡単なのだった。盛り場には、すぐそれとわかる犯罪組織の下っぱがいる。そいつに聞けばいいのだ。シュッ。

「ボスのいるところはどこだ」

「はい……」

そいつは知らなかったが、だれに聞けばいいかは答えてくれた。それをくりかえし、あるビルの地下室とわかった。そこへ行く。

ドアの前に、すぐにも暴力をふるいそうな男がふたり立っていた。子分だろう。入ろうとする三郎をさまたげる。

「だれだ、きさまは。ここへ勝手に入ってはいかん」

「しかし、おれは入らねばならぬ」

「だめだ。ボスの許可がない限りは……」

シュッとやり、三郎は言う。

「なにを言ってるんだ。おれがそのボスではないか。気をつけろ」

「はい。申しわけありません。その通りでした。さあ、どうぞ……」

うやうやしくドアをあけてくれた。なかに入る。地下室のくせに、内部はなかなか豪華だった。正面に大きな机があり、そのむこうにふんぞりかえっている男がいた。

そいつが言った。

「だれだ、のこのこ入ってきて……」

三郎は大物らしい身ぶりで、ゆっくりと歩き、そいつの顔にシュッとやって言った。

「おれがボスだ。命令を出すのは、おれなのだ。文句があるか」

「はい。おっしゃるまでもありません」

そばにひかえていた子分が言う。

「わけがわからない。どうしたんです」

シュッ。たちまち従順になる。三郎はその机と椅子を占領し、タバコをくわえた。いままでボスだったやつが、おそるおそるライターで火をつけてくれる。三郎は命じる。

「事業の報告をしてくれ。なるべくくわしくだ」

「はい……」

この犯罪組織がやっていることの、おおよそがわかった。税金を払わない非合法の商売にいろいろと手を出しているだけあって、利益はかなりあがっていた。そして、そのボスがおれなのだ。

「成績は、まあまあだな。金はどこだ」

「はい。そこの金庫のなかです」

「あけろ。札束をひとつかみよこせ」

「はい」

「これから、みなでクラブへ行こう。大いに飲んでさわごうではないか」

「連れていっていただけるとは、ありがたいことで……」

「遠慮するな。さあ、案内しろ」

「はい……」

いいクラブだった。高級な酒がそろっており、上品な音楽が流れていて、きれいな女がたくさんいた。三郎は見まわし、気に入った美人を指さし、子分に命じた。

「あの女を呼んでくれ」

「はい……」

子分は女のところへ行って伝えた。

「ボスがお呼びだ。来てくれ」

やってきた女があいさつする。

「あら、おひさしぶりねえ。相変らず景気がいいんでしょう」

さっきまでのボスはそれを制し、三郎のとなりにすわるよう女に指示した。彼女はふしぎがる。

「だれなの、このかた。なぜそう、みんなぺこぺこしてるの。まだ若く、あんまり貫禄もない人じゃないの」

その顔にシュッとやり、三郎は言う。

「おれがボスなのだ。おまえは、おれの女だ」

「そうだったわね。お会いしたいと、お待ちしてたとこなの。うれしいわ。きょうは、ゆっくりしてらっしゃってね」

「そうそう、その調子だ。大いに飲んでさわぎ、楽しくすごそう」

みな催眠術にかかっている。楽しくやろうと命じれば、その通りになるのだった。ひとしきり飲んだあと、三郎は女に言った。

「今夜は、おれとホテルですごすのだ」

「はい。おっしゃる通りにいたします」

なにもかも思うがまま。

三郎がベッドの上で目ざめたのは、つぎの日の午後。女に金を与えて言う。

「おまえは帰れ。そのうち、また会おう」

「そのうちなんておっしゃらず、二、三日のうちにね」

「ああ、わかっているよ」

女が帰ったあと、三郎はシャワーをあび、ひげをそり、部屋に食事を運ばせて食べる。

「さて、そろそろ帰宅するとするか……」

組織の本部に連絡し、車を迎えによこさせる。乗りこみ、運転手に命じる。

「おれの家へやってくれ」

「そう言われても、どこへ……」

シュッとやって、三郎は言う。

「いいか、おれがボスなのだ」

「はい。さようでございます」

「実力があり、財産があり、地位と貫禄に恵まれている。どういうところに住んでるかぐらい、わからぬはずがない」

「はい……」

「そこへ行けばいいのだ」

「はい……」

車は進み、高級住宅地にむかった。いずれも敷地が広く、庭は手入れがゆきとどいており、金のかかった家ばかりだった。三郎はその一軒の前で車を止めさせ、運転手に言う。

「おれがいま、自分の顔にむけて噴霧器をシュッとやるから、おまえはおれにむかって、あれが自宅ですと言え」

「はい……」

それがなされた。三郎は門を入り、玄関のベルを押す。ドアが開き、四十歳ぐらいの女が出てきた。いい和服を着ている。この家の主婦だった。彼女はふしぎそうな目つきで迎えた。

「どなたさまでしょう」

シュッ。噴霧器を使い、三郎は言った。

「おれが亭主だ。忘れたのか」

「はい。あなたが夫でございます」

「それなら、ちゃんとあいさつをしろ」

「おかえりなさいませ。あなた、きょうはずいぶんお早いのね」

夫人の表情は急になごやかになった。三郎を亭主と思いこまされてしまったのだ。着がえの世話をし、留守中のできごとをあれこれ話す。お茶を運んできた手伝いの女が、それを見て、びっくりする。

「あら、奥さま。なんてことを……」

三郎はその前でシュッとやって言う。

「おれがこの家の主人だ」

「はい……」

ひとことで片づく。そのうち、この家のむすこが帰ってきた。中学二年の男の子だ。

「ただいま。あの、きょう学校の帰りに、面白いもの……」

そう話しかけたが、三郎を見て言う。

「……あ、お客さんとは……」

「お客さんじゃない。おれがおまえの父親だ」

「まさか、そんなことが……」

シュッとやり、三郎が告げる。

「おれが、おまえの父親なのだ」

「はい。おとうさん」

「どうだ、学校での成績は……」

「それを聞かれると、困っちゃうんだなあ。きょう、英語の時間に、できが悪いと先生に注意されちゃった」

「そんなことで、どうする。もっと勉強しなくてはいかん。テレビを見たり、くだらん本などを読むひまがあったら、予習と復習をちゃんとやれ」

「はい……」

玄関にだれかがやってきて、声をあげた。

「おい、いま帰ったぞ」

応対に出た夫人が、三郎に報告する。

「あなた、変な人が来たわよ」

「よし、おれが会ってやる……」

玄関には五十ちかい男が立っていた。

「……だれです、あなたは」

「だれだとは、なんだ。ここはわたしの家だ。妻のようすもおかしかった。悪夢のなかにいるようだ。自分の家に帰ってきて、こんなあつかいを受けるとは……」

と怒りの表情になる。しかし、三郎は平然としたまま、シュッとやって言う。

「いいか、この家の主人はおれなのだ」

「はい。そうでした」

「あなたは、かんちがいをして、ここへ入ってきたのだ。あなたの家は、もっとむこうのほう。気をつけるんですね」

「はい。おさわがせして、すみません」

そうあやまり、この家の本物の主人は、どこかへ行ってしまった。やがて、親子三人そろっての楽しい夕食。悪くない気分だった。そのあと、三郎は男の子に言った。

「さあ、勉強をやれ」

「はい……」

男の子は勉強部屋に追いやられる。机にむかって、参考書やノートを開く。しかし、あまりやる気がしない。催眠術にはかかっていても、もともと勉強ぎらいの性格なのだ。

「おやじめ。勉強しろ勉強しろと、うるさくてしょうがない。子供の身にもなってみろだ……」

カバンのなかのものを整理していると、噴霧器が出てきた。帰りに道ばたで拾ったものだ。その話をしようとしたとたん、シュッとやられ、すっかり忘れていた。しかし、催眠術にかかっていても、使用法の字は読める。魅力的な文句なのだ。

「……こいつは面白いや。本当にきくのだろうか。ためしに、おやじにやってみよう。ぼくの気持ちを理解するようになるかもしれない。親子の断絶もなくなるというものだ。やってみる価値があるぞ」

翌朝、男の子は三郎に言う。

「おとうさん」

「なんだ。おはようございますと言え」

「いま言いますよ……」

すきを見て、三郎の顔の前でシュッとやる。そのあと、男の子はこう言った。

「いいか、わたしがおまえの父親なのだ」

「はい。おとうさん……」

従順になった三郎に、男の子は言う。

「庭を見ろ。木の葉が散っている。あの掃除をしろ。朝の運動にもなるぞ」

「はい……」

それを見て、夫人が目を丸くした。

「あらまあ、父親にむかって、なんてことを。ふざけるのもいいかげんになさい」

それにむかって、男の子がシュッとやる。

「わたしが、この家の主人だ」

「はい。あなた」

「むすこの健康のためだ。庭掃除ぐらい、たまにはやらせたほうがいい」

「はい。そうですわね」

朝食のあと、男の子は三郎に命じる。

「早く学校へ行け。よく勉強するんだぞ。若いうちに苦しくても学んでおけば、おとなになってそれだけ役に立つというものだ」

男の子はいい気分にひたっている。三郎は聞いた。

「学校って、どこにあるんでしょう」

「だらしのないやつだ。ほら、これが学生証だ。わからなかったら、だれかに聞け」

「はい。では、いってまいります」

三郎は中学校へ行き、教室に入る。まわりの生徒たちがさわぎはじめる。

「みなれないおとなが、なにしに……」

「ここがぼくのクラスだよ」

「どうかしてるんじゃないんですか」

三郎はポケットの噴霧器を出し、そいつめがけてシュッとやる。

「ここがぼくのクラスだ」

「うん、そうだとも」

ひとりひとりにそれをやるので、いくらか時間がかかった。教室内のさわぎは一段落する。ベルが鳴り、教師が入ってきた。そして、きもをつぶした。ひとりだけ三十歳ぐらいの背広の男がまざっている。まわりの生徒たちは、それを当然のように静かに席についている。たちの悪いいたずらと判断した。

「おい、きみ。こっちへ来い」

指さされた三郎は、教師のそばへ行く。

「なんでしょうか」

「ふざけるのも、いいかげんにしろ」

「ぼくが、なにかしましたか」

「とぼけるな。どういうことなんだ。背中がぞっとする感じだ。わけがわからん。たのむ、事情を教えてくれ」

三郎はシュッとやって言う。

「ぼくはここの生徒。あなたは先生」

「はい。そういえばそうだったな」

「だったら、授業をはじめて下さい」

「そうしよう」

その時間は、それでおさまった。しかし、うわさはたちまち全校にひろまる。変な男が入ってきて、生徒になりすましている。だが、なぜか同級生も教師もふしぎがらない。面白いぞ。見に行こう。

ぞくぞく集まってくる。シュッ、シュッ。いくらかはそれで処理したが、ついに噴霧器の薬液がつきた。

いいとしをして、自分を中学生と思いこんでいる男。

三郎はそういう立場になった。学校関係者がつきそって、病院へと送りこんだ。それを迎えて、医師はあつかいに困った。こんな患者ははじめてだ。神経科の医師も診断したが、手におえない。特殊な薬品で、催眠術にかかっているのだとは気がつかない。しばらく入院させ、観察することにした。

その薬品の効果は、ある時間がたつと消えるのだった。男の子からかけられた催眠術のききめが失われた。医師が三郎に聞く。

「まだ自分を、中学生とお思いですか」

「とんでもない。鏡にうつしてみましたよ。このからだつき。三十前後じゃありませんか。いったい、なぜわたしが病院に……」

「いいんですよ。あなたは全快したのです。ひとりで帰れますか」

「ええ」

「じゃあ、お大事に……」

三郎は病院を出て、高級住宅地のなかの家に行く。夫人も催眠術からさめている。

「どなたですの」

「ここが自分の家のような気が……」

「ご冗談は困りますわ。よく考えてごらんなさい。あなたは三十歳ぐらい。こんな家に住める地位にあるとお思いですか」

「そういえばそうですね。失礼しました」

たまたま男の子がいなかったのは、三郎にとって幸運だった。またシュッとやられたら、なににされたかわからない。

つぎに三郎は、犯罪組織の本部、いつかの地下室へと行った。入口の子分が言う。

「なにしに来た」

「おれがここのボスのような気がして……」

「ふざけるなとなぐりたいところだが、あんた頭がおかしいようだね。ここは、かたぎの人とは関係のないところだ。おとなしく帰ったほうが、身のためだぜ。自分がだれか、よく考えてみるんだな」

思うとか考えるとか言われると、術からさめる。三郎は頭に手を当てた。

「だんだん思い出してきた。わたしは刑事だった」

「なんですって。それはそれは。警察のかたとは存じませんで。どんなご用です」

子分はそわそわしはじめた。

「べつに用もないようだ」

「それはけっこうで。番地をまちがえて、ここへ迷い込まれたのでしょう。お送りいたしますよ」

子分に車に乗せられ、警察の前でおろされる。なかへ入ってゆく三郎に、入口の警官が声をかけた。

「もしもし、どんな用です」

「用って、わたしは、ここの刑事だ」

「変ですね。見おぼえがないし、ちっとも刑事らしくない。手帳を拝見させて下さい」

三郎は警察手帳など持っていなかった。

「刑事じゃなかったとなると、わたしはなんなのだろう」

「記憶喪失のようですな。警察の手で調べてあげましょうか」

「いや、自分でやってみる。もしだめだったら、また戻ってくるよ……」

三郎はそこを出た。前に夕ぐれの道を歩いていたことを思い出したのだ。そこへ行ってみよう。なにか手がかりがあるかもしれない。そして、そこで立ちどまった。声がかけられた。

「もしもし、このあいだのかた」

ふりむくと、易者が店を出していた。

「わたしのことですか。このあいだって、なんのことです」

「おぼえてない。そうかもしれませんな。じつはこのあいだ、面白いものを拾いましてね。説明文を読んで使いたくなり、あなたにむけてシュッとやったんですよ」

「なにをやったんだ」

「それは内密ですがね。いい客寄せになりましたよ。あなたは刑事だ、大金強奪事件を追っていると言ったんです。あなたは、そうだと答えた。その的中で、そばにいた人たちが、いっぺんに信用してくれました。で、あれからどうなさいました」

「よく思い出せないんだ」

「それは残念。そこを知りたかったんだがな。あの薬の作用は、そういうものなのか」

「なんだかしらないが、自分の家を思い出しかけてきたような気がする。その時、わたしはどっちから歩いてきましたか」

「あっちですよ」

「じゃあ、そっちへ歩いていってみよう」

三郎はそれをこころみた。そして、少し歩くと女の人に呼びとめられた。少しふとった三十歳ぐらいの女。

「あら、あなた。なにぼんやりしてるの」

その寸前、三郎はシュッとやられているのだが、当人は気づかない。

「なにって……」

「あなたは、あたしの夫じゃないの。さあ、家へ帰りましょう」

「はい……」

ついたところがマンションの一室。三郎はあたりを見まわして言う。

「ここがわたしの家か……」

「そうよ。しっかりしてよ。あしたから仕事にはげんでね」

「なんの仕事だっけ……」

「新しく不動産業をはじめたばかりじゃないの。あたしが手伝って、順調に進みはじめたとこよ」

それから毎日、三郎は仕事にはげんでいる。業績はあがっている。大きな取引の時には、妻が相手を説得してくれるのだ。金融関係もうまくいっている。しかし、時どき、三郎はつぶやく。

「これでいいのだろうか。わたしの人生は、これなのだろうか」

そのたびに、シュッと音をさせて、妻が言う。

「なにいってるの。お金はもうかるし、いいことだらけじゃないの」

「それもそうだな……」

雑用はすべて三郎に押しつけ、妻は金のあるのにまかせて、遊びまわる。買物やら会合によく出かけて、夜おそく帰る。

妻は自分用の大きな金庫を持っている。そこには何本もの噴霧器が入っている。

「学者と結婚したおかげで、長いあいだばかをみたわ。研究にばかり熱心で、お金もうけに関心がない。あんなのといっしょじゃ、一生の不作。ちょうどいいことに、こんな便利なものを発明してくれた。魅力的な説明文。やってみたら、あたしにも簡単に使えた。ありったけ持って、家を出ちゃったというわけ。適当なのはいないかと道で待ってたら、いまの男がひっかかった。そのうち、もっといい男と取りかえようかしら。これだけ噴霧器があれば、当分はぜいたくざんまい、好きほうだいのことができるってことね……」

——「小説現代」1974年3月号

命名

Ａ博士は、時間を逆行する機械を発明した。博士は、その機械にタイムマシンと命名した。

Ｂ博士は、人体にアレルギーを起す機械を発明した。博士は、その機械にジンマシンと命名した。

――豊田有恒編『日本ＳＦショート＆ショート選 ユーモア編』文化出版局（１９７７年刊）

習慣

「ねえ」

恵子の美しい唇から、甘いささやきが湧き出した。その声は実業家のA氏の耳をくすぐり、心をとろかせる。茶の間の甘いひとときである。

A氏は目を細め、盃を口に運びながら答えた。

「なんだね」

「あたし、買っていただきたいものがあるのよ」

「また、おねだりか。しかし、このように、家もきれいになった。家具も電化製品も、ひと通りは揃っている。べつに不足品はないと思うが」

あたりを見まわしながら、A氏は首をかしげた。こぢんまりした家だが、これといって欠けた品はなさそうだった。

「ええ。不足品はないんだけど……」

彼女の言葉は謎めいていた。

「なんだか理屈が合わないじゃないか。不足品がないのに不足とは、そんなことがあるだろうか？」

「あるのよ」

「いってごらん」

「あなたのお留守中は、この家にあたしひとり。淋しいし、こわいわ。泥棒にでも押し入られたら、品物を持ってゆかれ、不足品が発生しちゃうわ」

「なるほど、もっともなことだ。そのための設備が不充分で、心配でならないというわけだな。よし、買ってあげよう。ほかならぬ、おまえのためだ」

聞いてみると、筋の通った話だった。

もっとも、いくらか筋が通らなかったとしても、金のある男性の多くは、ほれた女のためには金に糸目をつけないものだ。

かくして、最新式の防犯装置が、玄関のドアに取りつけられた。テレビ・カメラによって来客がだれであるかを相手に気づかれることなく、そっと探知できるしかけである。

「うむ。精巧なものだ。来客があったら、まずこれでのぞき、怪しげな人物だったら、ドアをあけなければいい。この普及によって、犯罪も大幅に減ってゆくことだろう」

A氏は感心し、恵子は安心した。

「ええ、すばらしい性能ね。これからは落ちついて毎日がすごせるわ」

二人は満足し、また装置のほうも、二人の期待に充分にこたえはじめた。

――日本コロムビア株式会社特殊機器事業部／コロムビア防犯プランニングセンター

ＰＲ誌（発行年月不明）

L博士の装置

エル博士の書斎のなかは、いつも煙が満ちている。

機械工学の分野において、このエル博士に匹敵する学者はいなかった。また、タバコを吸うことにおいて、彼におよぶ者もいなかった。博士は無類のタバコ好きだったのである。

博士は机の前の椅子(いす)に深く腰を下し、目を閉じて静かにタバコを吸いながら、研究の構想をねるのが習慣であった。そして、彼の頭のなかの状態は、そのタバコの煙となる速さで判断することができる。つまり、考えがまとまりはじめるにつれ、タバコの消費速度があがってゆくのだ。構想がすっかりまとまると、博士はタバコを捨て、机の上のメモにそれを書きこむ。

このようなことから、

「エル博士の研究は、すべてタバコを燃料として完成されたものだ」

と、かげ口をきく者もあるが、それは問題にするにたりない事であった。酒を燃料にしようが、チョコレートを燃料にしようが、すばらしい研究ならそれでよいのだ。だが、問題がないわけでもなかった。

　それは火事の心配である。エル博士は考えに熱中するにつれ、手が無意識のうちに動いて、次つぎとタバコに火をつけるのでそのマッチがどこへ飛ぶかわからず、灰や吸殻がどこへ落ちるかもわからないのだ。

　ある時など、たしかにメモしておいた紙がどうしても見つからないことがあった。よく調べてみると、それは不用意に捨てたマッチによって、燃えてしまったのである。これでは、せっかくタバコによって得たアイデアが、タバコによって消えてしまったことになる。

　これぐらいならまだしも、危く火事になりかけたことも二度や三度ではない。エル博士の家族は、心配のあまりこう注意した。

「少しは気をつけて下さい」

「だが、わしはタバコがないと考えがまとまらんのだ」

「タバコをやめて下さいというのではありません。マッチや吸殻を灰皿のなかに捨てて下さればいいのです」

「しかし、わしは考えに熱中すると、そんなことに注意が及ばんのだ」

「では、助手をやとって、そばにいてもらったらどうでしょう」
「いや。そばに誰かいては、気が散っていかん」
「困りましたね」
エル博士も困った。そこで、この問題の解決に没頭した。ほんとうはこんな事に没頭したくなかったのだが、これを片づけないかぎり、安心して研究に熱中できないのだ。

博士はついに一つの装置を完成した。机の上にある銀色の箱がそれである。これを作るにはかなりの費用がかかったが、博士にとっては金にはかえられないことだった。箱とはいっても、単なる箱でないことはもちろんである。その性能は実にすばらしい。

目を閉じて椅子にかけた博士が、口をパクパク軽く開閉した。すると、その微妙な音を感じて、銀の箱はカチリという音をたて、蓋を開いた。つぎにそのなかから機械製の手が伸びてくる。その手の先には、自動的に火がつけられたタバコがはさまれているという仕掛けなのだ。

機械製の手は、パクパクやっている博士の唇にそれをさし込み、再び箱のなかに戻ってゆく。博士はそのタバコを吸いながら、考えつづけるというわけだ。そして、時どき、博士は灰を落す。その灰はどこに落ちるかわからないが、この装置ができてからは、その心配はなくなった。いったん箱のなかに戻った機械製の手は、こんどは灰皿を持ってあらわれ、待ちかまえている。

その灰皿は、熱線を感じる小型レーダーと連絡してあるので、常にタバコの真下にあるようになっている。だから、灰も吸殻も正確に受けとめてくれるのだ。

博士はいいアイデアを思いつくと、とつぜんタバコを投げすて、メモにむかうこともある。だが、それが機械の手の届かない所に飛んでも大丈夫だ。レーダーで狙いのつけられてある水鉄砲が発射され、下に落ちる前にジュッと消してしまうのだ。

ある日、窓の外からこれをのぞいていた男があった。彼の驚きの目は、しだいに欲しくてたまらない目つきに変わった。

「うむ。実に便利なものだ。あれさえ手に入れば、おれは落ちついてテレビが眺められる。画面から目をはなさなくても、タバコに火がつけられ、灰を捨てられる。ひとつ失敬するか」

欲望を押さえられなくなったその男は、博士が便所に立った間に(これぱかりは装置もやってくれない)窓からしのびこみ、持ち去ってしまった。

しばらくして博士は、装置を抱えた警官の訪問をうけた。警官は、

「これを盗まれたのではありませんか」

「ええ。私の作った装置です」

「いま、盗んだ男が自首してきたのです。だが、盗んですぐに自首するというのは、へんな話ですね。わけがわかりません」

博士はとくいげに説明した。

「これには盗難防止のしかけがついているのです」

「どんな工合にですか」

「いったん装置を動かすと、特に用意されたべつのタバコをさし出すようになっているのです。そして、そのタバコには自首したくなる薬品がしみ込ませてあるのですよ」


――日本専売公社ＰＲ誌（誌名、発行年月不明）

ふしぎなおくりもの

あ、ホームランだ！

土曜日の午後、空き地で友だちと野球をしていた野村くんは、バットをおもいきりふってボールをうちあげた。

「あ、ホームランだ！」

ボールは空き地のはずれの塀をこえた。

ガチャン！

ボールは、小説家の山田さんの家のガラスを割ってしまったらしい。

「どうしようか。おこられるのはいやだからにげようよ」

というものもいたが、野村くんは自分の責任でもあるので、しかたなく、山田さんの玄関にむかった。

「ごめんください」

おそるおそるよぶと、山田さんがでてきた。

「すみません。こちらの方へとんできちゃったんです。これから気をつけます」

しかし、山田さんはおこってもいないようだった。

「なあんだ、野村くんか。ガラスをこわされるのもこまるが、いま、それどころじゃないんだ。変なことがおきて、考えこんでいたところなんだ。ちょっとへやにはいって、知恵をかしてくれないか」

野村くんは試合の途中なので、気が気でなかったが、窓を割った弱みがあるので、くつをぬぎ、へやに上がった。

そこは洋間で、大きなつくえがあり、かべにはたくさんの本がならべられていた。

山田さんはいつもこのへやで原稿を書いている。

野村くんは、どんなことがおこったんだろうと、ちょっと気味がわるかった。

「ちょっと、そのつくえの上の箱をあけてごらん」

指さされた紙の箱を野村くんはあけてみた。

「なあんだ、ようかんですね。べつにかわったことはないけど、これがどうかしたんですか」

野村くんは、たべたらさぞおいしいだろうと思ってつばをのみこんだ。

「ようかんには、べつに変わったことはないんだけど」

山田さんは、うでぐみして首をかしげた。

「どうしたんですか、おじさん。このようかん、だれからもらったんですか」

と野村くんは聞いた。

「もらったことになるんだろうが、だれがもってきてくれたかがわからないんだよ」

「えっ？　そんなことがあるんですか」

ようかん箱のふしぎ

「まあ聞いてくれたまえ。わたしは朝からずっとこのへやで、原稿を書いていた。おひるすぎになってようやく書きあげて、ほっとしたのか、いすにかけたままちょっといねむりをした。しばらくして目がさめてみると、つくえの上に、この箱がのっかっていたんだよ」

「それじゃ、おじさんがねむっているあいだに、だれかがもってきたんですね」

野村くんは、そんなことだったのかと、ややひょうしぬけのかっこうだった。

「それだけならべつにふしぎなこともないんだが、このドアをみてごらん」

そういって、山田さんはドアのところに行った。

「ほら、ここに内側からかかる鉄のかけがねがあるだろう。原稿書きの仕事をするときは、じゃまされないようにいつもこれをかけることにしているんだ。さっき目がさめてから、だれかがここにはいってきたのかと思ってドアを見たが、このかけがねはちゃんとかかっていたんだ」

山田さんはこういいながら、指先で小さなかけがねをまわして、とめがねにかけたりはずしたりして、カチカチ音をたててみせた。

「ドアからでて行ったんではないようですね」

「ああ、そうとしか思えない。しかし、それなら、どこからはいってどこからでて行ったんだろう」

「きっと、窓じゃないかな」

野村くんはそういいながら窓のそばに行った。

「この窓をあければ、人間はゆうゆうはいれますよ」

「だが、この窓にも、ちゃんと内側からさしこんでまわすかぎがついているよ。もっとも、かけわすれということもあるけど。でも、箱がとつぜんあらわれてからしらべてみると、かぎはちゃんとかかっていた。だから窓から、ではいりしたのではなさそうだよ」

「それじゃ、窓ガラスに穴があいているんじゃありませんか。その穴から手を入れて、かぎをはずしたのかもしれませんよ」

野村くんは、窓ガラスの割れたところを指さして、ちょっと得意になった。

「いや、その穴はさっき君たちがうちこんだボールで割れたところだよ。そうそう、そういえばボールをかえすのをわすれていたな」

山田さんはそういいながらポケットからボールをとりだした。

「あ、そうか。どうもすみません。これから気をつけます」

野村くんは頭をかいてボールをうけとった。

だが、山田さんにとってはガラスよりようかんの箱のなぞのほうが、気になる大問題だった。

とけないなぞ

「ドアや窓からではいりできないとなると、いったいだれがこの箱をもってきたんだろう。なにかなくなったものでもあるんじゃないかと思ってしらべてみたが、べつにぬすまれたものもない。どろぼうではなさそうなんだが、うす気味わるい話だよ」

「サンタクロースみたいな話だな……」

といいかけて、野村くんはへやを見まわした。

「このへやにえんとつの穴はありませんか」

「むかしはあったけど、ガスストーブをつかうようになってからふさいでしまったよ。それに、えんとつの穴からは人間はではいりできないよ」

と山田さんは、わらった。

「しかし、ほかにはいるところもないんだからね」

とつぶやくようにいった。

そのとき、野村くんはあることを思いついた。

「そのガラス窓は、かぎがかかったままでもはずすことができるんじゃないですか」

「そうかんたんにははずれないだろうが、ためしにやってみるか」

山田さんは、窓をかぎのかかったままはずそうとしてみたが、ガタガタ音がするだけで、ガラスが割れそうになるほどひどく動かしても、はずれそうになかった。

「どうもはずれそうもありませんね」

「ああ、ちょっとむりのようだね」

ふたりはあらためてへやじゅうをみまわし、首をかしげた。

野村くんは、いままで見たテレビ映画から、いい考えがうかばないかと思ったが、どうもいい考えはうかばなかった。

かかってきた電話

「だれかがもってきたことはたしかなんだろうが、妻は朝から子どもをつれて、しんせきのうちにでかけてるすなんで、しらべようがないんだ」

山田さんは、よわったというように頭をかいた。

野村くんは、そのようかんの箱をもう一度ふしぎそうに見なおした。

そして、こおどりしながらいった。

「あっ、いいことがありますよ。ここに店の電話番号が書いてある。ここに電話をかけて、どんなお客にこれを売ったか聞けば、すぐにわかるかもしれませんよ」

「うーん、それはいい考えだ。さっそく電話してみよう」

ふたりがへやのすみの電話器にむかったとき、その電話のベルがなりだした。山田さんはすぐに受話器をとりあげた。

「うん、うん。なんだって、おまえだったのか」

山田さんはほっとした声になった。

「あんまりおどかさないでくれよ。それで、いったいどうやってへやにはいったんだい……なるほど、そうだったのか」

山田さんは電話を切ってわらい顔になった。

「いまのは弟からだよ。さっきとおりがかりに、もらいもののようかんをとどけてくれたのだそうだ。窓からのぞくと、わたしが眠っていたので、起こすほどのこともないと、ようかんの箱だけおいて帰って行ったのだそうだ」

「だけど、どうやってへやにはいったんです」

「聞いてみるとかんたんなことだよ。野村くんにもわかるんじゃないかな。そうだ。問題をせまくしてあげよう。あやしいのはドアだ」

そこで野村くんは、なぞをといてやろうとドアにちかづいた。

かぎをあけたもの

「まずはじめからしらべなおそうかな。やはりこのドアがあやしいな。あんまりあつい板ではありませんね」

野村くんはこういいながらかけがねをいじっていたが、急に顔をかがやかせながらいった。

「わかった。やはりここだ。外からこのかけがねをはずしたんだ」

「どうやってだね」

「このかけがねは鉄でできていますね。だから強力な磁石を使えば、外からでも動かせるんじゃないでしょうか」

「よく気がついたね。ではやってみようか」

山田さんは子どものおもちゃ箱から磁石をさがしてきて、ドアの外側につけて動かしてみた。

かけがねは磁石ではずれたりかかったりした。

野村くんが空き地にもどると、みんなが口ぐちにいった。

「おそかったね。おこられているのかと心配したよ」

「いや、頭がいいってほめられて、ようかんをごちそうになったよ」

野村くんの返事にみんなはきょとんとした顔をした。

――「考える子ども　四年生」7月号（発行年不明。1960年または1961年）

お化けの出る池

松井君と林君が、空き地でキャッチボールをしていると、通りがかった大下さんが話しかけた。

「松井君、野球はうまくなったかい」

「ええ、うまくなりましたよ。だけど、ずいぶん、暑くなりましたね」

と、松井君はあせをふきながら答えた。

「そうだ、夕ごはんがすんだら遊びにこないかい。寒くなるようなこわいお話をしてあげるよ」

それを聞いて、林君がいった。

「ぼくも行っていいですか」

「ああ、いいとも。一緒においでよ」

大下さんは薬の会社につとめている人だ。そして、大下さんの家はこの近くではわりあい大きな庭のある家なのだ。

大下さんの家

松井君と林君は、ごはんがすんで暗くなりはじめたころ、さそいあわせて大下さんの家に行った。ベルを押してしばらく待っていると門がひらいた。

「やあ、いらっしゃい」

と、大下さんはふたりを庭の見えるへやに案内した。

「ずいぶん広い庭ですね」

と、林君がいった。庭は木がたくさん植えてあり、大きな池もあった。その池のまんなかには小さな島があり、その上には石灯籠(どうろう)がおかれていた。

「夏でもわりとすずしいよ。それにおばけも出るしね」

と、大下さんがいった。

「うそでしょう。おばけなんかいるもんですか」

「いや、おばけを見たことのない人は、おばけなんかいないと思うが、ほんとうに出るんだよ」

「それじゃあ、大下さんは見たんですか」

「ああ、見たとも。夜になるとその池から出てくるんだ」

「ほんとかなあ」

ふたりには、おばけが出るとは思えなかったが、大下さんは話をはじめた。

「いまでこそ、このへんは家が建ってにぎやかだけど、ずっとむかしはもちろん、さびしいところだったんだ。あるとき、大きないくさがあって、そのいくさに負けたさむらいが、傷つきながら槍(やり)を杖(つえ)にしてやっとここまでにげのびてきた。そしてこの池にたどりついて水をのみ、息をひきとってしまったのだ。だが、その死んださむらいのたましいは池のなかにとどまって、いつまでも援軍のくるのを待っているんだよ」

「なんだかこわくなってきましたね」

ふたりは庭の暗い池のほうを、そっと見た。そのとき、池でバシャンという水の音がしたので、ふたりはおどろいて立ちあがった。

「いや、そうあわてなくてもいいよ。いまのは池でコイがはねた音なんだから」

と、大下さんがいった。

「ああおどろいた。コイがたてた水の音だったのですね」

ふたりはホッとして腰をおろした。

ほんとうにおばけは出るのか

「ほんとうのおばけは音をたてずに、そーっと出るんだ」

ふたりはまた、こわくなった。

「死んださむらいのたましいは、援軍がなかなかこないので、ときどき池から出てきてお城のほうをながめるんだよ」

「こわいなあ。ほんとかなあ」

「ほんとだとも、そろそろ出てくるかもしれないよ」

ふたりはこわいけれどほんとうにおばけが出てくるかどうか知りたくて、池のほうを見つめた。

「大下さんはこわくないんですか」

「やはりこわいね。死んださむらいのたましいをなぐさめようと思って、池のなかの小さな島に石灯籠を作ってみたのだが、やっぱり出てくるんだよ」

くもった晩だったので、月も星もなく、この暗いしずかな池からは、ほんとうにおばけが出そうだった。そのとき、

「わっ」「出たっ」

松井君と林君は声を出して立ちあがった。池のなかの石灯籠の上に、まるくぼんやりと光ったものがうかび出たのだ。そして、それはゆっくりと空にのぼっていった。

「どうだい、君たち。いまのを見たろう」

と、大下さんがいった。

「見ましたよ。ほんとうに出るんですね」

と林君はふるえ声でいった。松井君は、しばらく考えてから、

「おばけの出たあとを見に行きましょう」

と、いった。

「松井君は元気がいいね。じゃあ、懐中電灯をとってこよう」

大下さんが、懐中電灯をもってきたので、三人は庭に出た。大下さんは、おちついて、松井君はむりに元気を出して、林君はびくびくしながら池に近づいた。

だが、水面にも石灯籠のまわりにも、変わったことはなにもなかった。

「おばけが出たあとをしらべたってしようがないよ。早く帰ろう。松井君一緒に行こう。ひとりじゃこわいや」

林君は松井君のうでをひっぱった。

その翌日

つぎの日はいい天気だった。学校のかえりに松井君と林君は話しあった。

「きのうはこわかったね」

「だけど、ほんとうにおばけだったのかなあ」

「おばけなんかいるはずはないと思うんだがな」

そのうち、林君はあることに気がついていった。

「ぼくはこわかったけど、大下さんはちっともこわがらなかったね」

「そういえばそうだ」

「もしかしたら、大下さんがぼくたちをおどかそうとしておばけを出したんじゃないかな」

「そうかもしれないね。だけど、どうしたらあんなおばけが作れるかが問題だな」

「むずかしいね」

そのとき、松井君はそばの街路樹にひっかかっている、しぼみかけたゴム風船を見つけた。

「あんなとこに風船がひっかかっているよ。とってみよう」

松井君は林君のかたにのっかって風船をとった。

「このゴム風船の色はちょっと変だぜ」

「なにか塗ってあるようだ」

その風船にはなにかキラキラしたものが塗ってあった。松井君はそれを見ながらいった。

「これがきのうのおばけかもしれないぜ」

「なぜなんだい」

「これをしらべてみるんだ。ちょっとうちへよっていかないか」

松井君はふしぎがる林君をうちへつれてきて、ふたりでおしいれのなかにはいった。

「ほら、見ろよ」

「光っている」

ゴムは暗いおしいれのなかで、ぼんやりと光った。

「きのうのおばけとそっくりだ」

「これは夜光塗料なんだよ。大下さんがつとめている薬の会社から夜光塗料をもらってきて、ゴム風船につけたんだな」

「そして、その風船がしぼんでおちてきたのがこれなんだ」

ふたりはついにおばけのしょうたいをつきとめた。

「おばけをつかまえたことを大下さんに知らせてやろうよ」

なぞをとくかぎ

ふたりはまた夜になってから大下さんのうちに行った。

「やあ、きのうはおどろいたかい」

と、大下さんはふたりをきのうのへやに案内し、氷のはいったシロップを出した。

「もういっかいおばけを見せてくださいよ」

と、林君がいった。

「きょうは出ない日だよ。出る日にはまた教えてあげるからそのときにしよう」

と、大下さんがいった。

「もう出ないはずだがなあ。きのうのおばけはぼくたちがつかまえてしまったんですよ」

と、松井君がかくしていたゴム風船を出した。

「なあんだ。君たちは頭がいいね。とうとうつかまえられてしまったのか。だが、ちょっとこわかったろう」

大下さんはゆかいそうにわらった。

「夜光塗料を塗ったんでしょう」

「ああ、そうだよ。だが、どうして石灯籠の向こうから、風船がとつぜん出てきたかわかったかい。それに風船の出たあとにはなにもなかっただろう」

「そうですね。だれかがかくれていて、はなしたのではないわけですね」

ふたりは考えこんだ。しかし、氷のはいったシロップをのみながら、しばらく考えていた松井君は、

「わかった」

とさけんだ。そして、

「これでしょう」

と、コップをもちあげた。

「ああ、よくわかったね」

だが、林君はふしぎそうに聞いた。

「コップをどうしたんだい」

「コップじゃないよ、氷だよ。ゴム風船の糸を氷にむすびつけておくんだ。すると、そのうち氷がとけて風船がはなれてとび上がるんだよ。そうでしょう」

「うん、そうだ」

と、大下さんはうなずいた。林君は、

「なんだ、そうか。うまく考えたな」

と、いった。

――「考える子ども 四年生」8月号(発行年不明。1960年または1961年)

星新一 ショートショート
全作品読破認定証

あなたは、
星新一作のショートショートを
すべて読破されました。
ここに認定いたします。

年　月　日

星ライブラリ
The Hoshi Library

解説

高井信

ショートショートの神様・星新一さんが亡くなられたのは一九九七年十二月三十日でした。もう星さんの新作を読むことはできないんだ、と悲しく思ったファンは決して少なくないでしょう。

新作が読めないのは仕方ない。でも、雑誌に掲載されただけで単行本に収録されていない作品もあるのでは……？

そんなファンの気持ちに応えたのが、二〇〇〇年に出版芸術社から出た『気まぐれスターダスト』でした。単行本未収録の二十編に加え、入手困難だったジュニアSF作品集『黒い光』（秋田書店／一九六六年）を一挙に収録。

多くのファンが歓喜し、しかし同時に、これで打ち止めと思ったのではないでしょうか。私もそう思っていました。ところが……。

そもそもの始まりは二〇一一年の春、私が星マリナさん（星ライブラリ代表／星さんの次女）に、星新一作品の初出リストを作るよう頼まれたことでした。

リストが充実していくにつれ、単行本未収録作品の存在が気になってきます。そんなある日、マリナさんから「未収録作品を集めた本を出したい。商業出版は難しいかもしれないけど、自費出版でも構わない」という話がありました。作品収集に協力してほしいとのこと。

なんという嬉しい企画！　さっそく心当たりの友人たちに連絡し、作品の提供を呼びかけました。ご協力いただいた皆さま、ありがとうございます。ことに和田信裕さん（星新一コレクターとして、後出の門司邦夫さんに次ぐ存在）には多くの作品を提供していただきました。特大の感謝を。

友人たちからの提供が一段落したところで、続いてはマリナさんがご実家で発掘作業を開始。幸いなことに、最相葉月さんが星さんの評伝『星新一　一〇〇一話をつくった人』（新潮社／二〇〇七年／現在は新潮文庫）を執筆する際に作られた資料があり、そのお陰で作業はスムーズに進みました。

もちろん、私たちも調査を続けます。古い雑誌を探したり新たな情報を求めたり……。新潮文庫での刊行が決まってからは、編集の内田諭さんにも国会図書館などで調査・発掘をしていただき……。

その結果、予想を遥かに上回る作品が集まり、未収録作品「選集」ではなく「全集」へと方針が変更されます。

そして今、ようやく――

ここに、星さんの単行本未収録作品集をお届けすることができました！　諸般の事情で収録を見送った作品もありますが、ほぼ「全集」です。

とまあ、まとめてしまえば簡単なのですが、約二年間、実にさまざまな出来事がありました。未収録作品のリストを作るだけなら、データがあれば事足りますが、作品集の刊行となれば、作品そのものが必要になります。しかも「全集」を目指すのですから、未収録と思われる作品すべてを確認しなければなりません。

最も私たちを悩ませたのは、作品の改題でした。星さんの作品は単行本化や再刊に際して改題されているケースが実に多いのです。

極端な例になりますが、たとえば「宇宙のキツネ」（『悪魔のいる天国』所収）。――この作品は雑誌掲載時には「ロケットと狐」でしたが、中央公論社版とハヤカワＳＦシリーズ版では雑誌掲載時と同じ「ロケットと狐」、『星新一の作品集』（新潮社）と新潮文庫（旧版）では「ロケットとキツネ」、現在の新潮文庫（改版）では「宇宙のキツネ」となっているのです。

ややこしいのは確かですが、雑誌掲載時と単行本収録時のタイトルが同じでしたら、さほど混乱はしません。問題は、単行本収録時に改題されるケースです。

たとえば「危機」(『宇宙のあいさつ』所収)。――当初この作品は、「ミリオンニュース」四十三号(一九六二年十二月)、「新刊ニュース」一九六三年二月十五日号、「SFマガジン」一九六三年八月臨時増刊号に掲載されたのち、『宇宙のあいさつ』に収録されたものと認識していました。星さんの場合、複数のPR誌掲載を経て商業誌に転載されることは珍しくないのです。

ところが別件調査をしているとき、「新刊ニュース」掲載の「危機」(これは現物未確認でした)はSFではないらしいとわかり、となると、『宇宙のあいさつ』に収録されている「危機」(これは明らかにSFです)とは別の作品となり……。

「新刊ニュース」の現物を確認できればいいのですが、そんなものは容易には入手できません。頭を抱えつつ、手持ちの資料を片端からチェックしていきましたら、なんと!「新刊ニュース」版「危機」の冒頭部分だけですが、判明したのです。

よっしゃー! 改題されて、単行本に収録されているかもしれないぞ。

私の推測は当たっていました。三十分もかからず、この「危機」は「夜の事件」と改題され、『おせっかいな神々』に収録されていることを突き止めたのです。いま思い返してみても、あのときは勘が冴えまくっていました。

このエピソードにはオチがあります。星さんが単行本収録時に改題する理由の多くはタイトルの重複を避けるためで、このケースも同様と思われますが、実は星さん、すでに「夜の事件」という別作品を発表されていたのでした。この「夜の事件」（『きまぐれロボット』所収）は『おせっかいな神々』刊行時にはまだ単行本に収録されておらず、それゆえに見逃したのでしょう（ついでながら、『声の網』の第一章も「夜の事件」です）。

自分の書いた作品のタイトルを忘れる？　そんなことがあるの？

怪訝に思う方もおられるかもしれませんが、私の経験でも、ショートショートを百編くらい書いた時点で、すべてのタイトルを把握するのは困難になっていました。タイトルの重複は、それだけ多くの作品を書いたという、ひとつの勲章であると考えます。

タイトルといえば、「SF破滅の助」の顚末は忘れられません。某ネット情報で、わかっているのはタイトルと掲載誌（「週刊言論」一九六九年一月八日号）のみ。こんなインパクト抜群のタイトルを見ると、未収録調査とは別に、妄想が膨らんでしまいます。――破滅の助って、いったい何者？　どんな内容なのだろう。

掲載誌を入手できればいいのですが、そう簡単にはいかず、もやもやが続きます。

そんな折、編集の内田さんから「国会図書館で確認」との報がありました。おお、ついに読める！　と喜んだのも束の間、届いたコピーを目にして愕然としました。――え？　ＳＦ「破滅の時」？

ネット情報は誤植だったのです。それでも単行本に収録されていなければ嬉しいのですが、この作品は『ひとにぎりの未来』に収録済み……。呆然とするしかなかったのでした。

誤情報といえば、「回転」には振り回されました。

こういうタイトルの作品があるという情報は最初、星新一ファンクラブ〈エヌ氏の会〉の発行物から得ました。一九六〇年発行の「週刊漫画サンデー」に掲載されているとのこと（月日不明）。これも内田さんが国会図書館で調査してくれましたが、それらしい作品は見当たらず。

首を傾げていたとき、探偵小説専門誌「宝石」一九六一年七月号の特集「或る作家の周囲　その２　星新一篇」に「〈一九六一年〉回転（マンガ・サンデー）」とあるのを発見しました。――え？　一九六一年？　一九六〇年ではなかった……？

そのころ、未収録調査は最終段階にはいっていました。門司邦夫さん（星新一の超絶コレクター）に不明箇所の調査と未入手作品の発掘を依頼することになり、「回転」のことも書いておいたところ、しばらくして返信がありました。――「漫画サンデー」一九六〇年から一九六二年二月までの百十冊（！）を調べたが、そのような作品は見当たらない。

これだけ調査して見つからなければ、「回転」という作品は存在しないと結論づけてもいいのではないでしょうか。

門司さんといえば、こんなこともありました。

マリナさんの依頼で、某雑誌をネット古書店に注文。もちろん、未収録（と思われる）作品が掲載されている雑誌です。古書店から発送通知があり、明日には届くかなと思っていた夜、門司さんから電話があったのです。――その雑誌を発掘し、今日、コピーを送った。

がっくりと力が抜けました。しかも、それだけではありません。翌日に届いた雑誌を読みましたら、既読感ありあり。すぐに、改題されて単行本に収録済みとわかりました。二日連続のがっくりです。ああ！　あと数日、門司さんの発掘が早ければ……。

入稿ぎりぎりになって、新たに発見された作品もあります。和田信裕さんから

「被害」の掲載されているPR誌を入手した。初出リストのデータよりも古い」というメールが届き、『ボッコちゃん』に収録されている「被害」かと思いきや、添付されていたスキャン画像を読んでびっくり。別の作品だったのです。瓢箪から駒というか、何か不思議な力が働いているのではないかと思うような僥倖でした。

ほかにも、「地球の次の主人公」や「未来から来た男」など、いかにもショートショートっぽいタイトルのデータがあり、もしや、と調べてみたらエッセイだったり……。

いろいろなことがありましたが、未収録作品発掘のエピソードはこれくらいにして、収録した作品に関して、いくつか註釈を付けておくことにしましょう。

冒頭にも述べましたように、本書は単行本未収録の作品を集めたものですが、例外もあります。

「黒幕」「地球の文化」の二編は江坂遊編『星新一ショートショート遊園地（全六巻）』（樹立社／二〇一〇年）に収録されていますが、大活字本という特殊な刊行物であり、また文庫本には収録されていないことから、本書に収録することにしました。

「命名」は執筆時期は古いと思われますが、初出は豊田有恒編のアンソロジー『日本SFショート＆ショート選 ユーモア編』（文化出版局／一九七七年）で、星さん単独の著作には収録されていません。「SF川柳・都々逸(どどいつ) 101句」は『SF川柳傑作選』(徳間書店／一九八七年／SF作家たちを中心とした川柳大会をまとめた座談会集)から星さんの作品のみを抽出したもの。いずれも文庫本未収録です。

改題や改稿されて単行本に収録されている作品は、もちろん基本的には外しましたが、改稿の度合いが極めて大きい作品に関しては特例として収録してあります。

「太ったネズミ」の改稿作品が「夢20夜」の「ネズミ(第15夜)」であることは明らかなものの、かなり印象が変わっています。また、「白い粉」は同じく「夢20夜」の「白い粉(第13夜)」と同じアイデアですが、ストーリーが全く違っています。前者は検討を重ねた末、後者は検討するまでもなく収録と決まりました。

「魔法のランプ」はいささか変わったパターンです。「魔法のランプ」の大幅改稿版が「そそっかしい相手」(『おせっかいな神々』所収)と読めるのですが、実は「そそっかしい相手」のほうが先に発表されているのです。いや、もしかしたら現在判明している「魔法のランプ」初出データは誤りで、それ以前にどこかに発表されているのかもしれませんが。――ともあれ大幅に改稿されているのは確かですから、収録することになりました。

「ほほえみ」はのちに大幅改稿され、長編『ブランコのむこうで』に挿入されています（「6　ほほえみ」）。しかしこれは「ほほえみ」自体がショートショートとして完成されていることもあり、ほぼ悩むことなく収録することに決定。

「狐の嫁入り」は特殊な例です。「宇宙塵」一九五九年一月号（十八号）に掲載。その扱いは囲み記事（誌面の空きスペースの埋め草的なもの）で無署名なのですが、目にした瞬間、星さんだ！　ピンときました。調べてみて、「雨」（『ようこそ地球さん』所収）の元ネタと判明。これは少し迷ったものの、収録することになりました。

「宇宙塵」といえば、一九五八年八月号（十五号）にH名義のショートショート（無題）が掲載されています。星さん作かもしれないけれど断定はできず、収録は見送らざるを得ませんでした。

「上品な応対」については特筆する必要があるでしょう。単行本未収録作品のなかに「上流社会」というショートショートもあり、実は両作品、内容はほぼ同じなのです。当然、両方を収録するわけにはいきません。あとで発表された方を選べばいいわけですが、困ったことにその段階では発表の順序が特定できていませんでした（「上品な応対」は「向上」一九六七年二月号に掲載。「上流社会」は掲載誌は「茶の間（茶の間社PR誌）」と判明しているものの年月号は不明）。

内容を比較し、私は「上流社会」を推したのですが、それは簡単に却下されました。

「上流社会」の誌面に星さんの書き込みがあり、それが「上品な応対」に反映されていることをマリナさんが発見されたのです。となれば、もはや考える余地はないのでした。

　日本SF大会のプログラムブックに寄せた祝辞（「ケラ星人」「円盤」「不安」「太陽開発計画」の四編）の扱いにも悩みました。フィクションであり、小説として読めるものもあるのです。「選集」でしたら外したかもしれませんが、目指すは「全集」ということで、判明しているものすべてを収録することに決定。

　いずれも祝辞ならではの趣向が凝らされていて、たとえば「円盤」は第八回日本SF大会（熊本にて開催）に寄せられた祝辞ですが、この大会の愛称はKYUCON（キューコン）（九州コンベンションの略）なのです。それを念頭にお読みいただければ……。まさに楽屋落ちの極みで、こういう星さんは珍しいのではないでしょうか。

　なお、これら四編と「妙な生物」は発表時には無題でした。このタイトルは本書収録に際してマリナさんが命名したものです。いずれも星さんのイメージをそこねないタイトルになっていると思います。

　収録するか迷ったといえば、「ゼリー時代」もその一編です。この作品はフォトストーリーで、写真と一体となって初めて、その魅力を最大限に発揮します。掲載時の誌面を再現できればいいのですが、文庫本のサイズではそれは困難。収録するなら、写真なしで本文のみとなります。

最初から写真付きの作品を読んでいる私やマリナさんに判断は難しく、担当編集の川上祥子さんほか数人に本文だけ読んでいただいたところ、それでも充分に面白いとのこと。完成品とは言えないものの、収録することになりました（実は「万一の場合」もフォトストーリーなのですが、こちらは写真がなくても作品の魅力が減じられることはないと判断。迷いはありませんでした）。

そんなこんなで全五十八編プラス川柳。――川柳はともかく小説に関しては、星さんが生前、なんらかの理由で自著に収録しなかった作品ばかりです。もちろん星ファンの皆さんは、いかなる理由があろうと星さんの未読作品が読めるのは大歓迎でしょうが、星さんご本人は本書の刊行に眉をひそめておられるかもしれません。

かつて星さんは、ご尊父・星一の小説『三十年後』を「SFマガジン」誌に再録する際、次のように書きました。――「不許複製」と大きく書いてもあるが、私は無断でやってしまった。文句があったら、作者は私のところへどなりこんで来るべきだろう。

星さん。「言いたいことがあったら私のところへ」と、お嬢さまが申しております。

私としても、たとえ星さんに叱られようと悔いはありません。星ファン歴四十年あまり、その集大成となる仕事ができたと、大きな満足感に浸っています。

星ファンの皆さまに楽しんでいただければ、最高に嬉しいです。

本書の巻末に「星新一ショートショート　全作品読破認定証」が付いています（正確には「ほぼ全作品」ですが、細かいことは言わないことにしましょう）。認定証に描かれているのは本邦初公開！　笑兎（星さんの雅号／川柳大会出席の際に考案）のイラストです。小さな「2」が添えられているのは……説明するまでもないと思います（門司邦夫さんの提供）。

言うまでもなくこの認定証は、ほかのショートショート集をすべて読んだ、という前提の上で有効になります。もしまだ読まれていない本がありましたら、ぜひこの機会に星新一完全読破を目指してみてください。

最後に。

未収録か否かのチェックには六人態勢（星マリナ、和田信裕、山本孝一、牧眞司、新井素子、以上の各氏プラス私）で臨み、万全を期したつもりですが、もしかすると見落としがあるかもしれません。また、私たちの知らない作品がどこかに埋もれている可能性もあります。何か気がつかれましたら、ぜひ編集部までお知らせくださいますよう、お願いいたします。

（二〇一三年七月、作家）

本書は文庫オリジナルです。

表記について

新潮文庫の文字表記については、原文を尊重するという見地に立ち、次のように方針を定めました。

一、旧仮名づかいで書かれた口語文の作品は、新仮名づかいに改める。
二、文語文の作品は旧仮名づかいのままとする。
三、旧字体で書かれているものは、原則として新字体に改める。
四、難読と思われる語には振仮名をつける。

なお本作品中には、今日の観点からみると差別的表現ととられかねない箇所が散見しますが、著者自身に差別的意図はなく、作品自体のもつ文学性ならびに芸術性、また著者がすでに故人であるという事情に鑑み、原文どおりとしました。

（新潮文庫編集部）

星新一著 ほら男爵現代の冒険

〝ほら男爵〟の異名を祖先にもつミュンヒハウゼン男爵の冒険。懐かしい童話の世界に、現代人の夢と願望を託した楽しい現代の寓話。

星新一著 マイ国家

マイホームを〝マイ国家〟として独立宣言。狂気か？ 犯罪か？ 一見平和な現代社会にひそむ恐怖を、超現実的な視線でとらえた31編。

星新一著 ひとにぎりの未来

脳波を調べ、食べたい料理を作る自動調理機、眠っている間に会社に着く人間用コンテナなど、未来社会をのぞくショート・ショート集。

星新一著 妄想銀行

人間の妄想を取り扱うエフ博士の妄想銀行は大繁盛！ しかし博士は、彼を思う女からとった妄想を、自分の愛する女性にと……32編。

星新一著 午後の恐竜

現代社会に突然巨大な恐竜の群れが出現した。蜃気楼か？ 集団幻覚か？ それとも立体テレビの放映か？——表題作など11編を収録。

星新一著 盗賊会社

表題作をはじめ、斬新かつ奇抜なアイデアで現代管理社会を鋭く、しかもユーモラスに風刺する36編のショートショートを収録する。

星新一著
妖精配給会社

ほかの星から流れ着いた〈妖精〉は従順で謙虚、ペットとしてたちまち普及した。しかし、今や……サスペンスあふれる表題作など35編。

星新一著
エヌ氏の遊園地

卓抜なアイデアと奇想天外なユーモアで、夢想と現実の交錯する超現実の不思議な世界にあなたを招待する31編のショートショート。

星新一著
なりそこない王子

おとぎ話の主人公総出演の表題作をはじめ、現実と非現実のはざまの世界でくりひろげられる不思議なショートショート12編を収録。

星新一著
白い服の男

横領、強盗、殺人、こんな犯罪は一般の警察に任せておけ。わが特殊警察の任務はただ、世界の平和を守ること。しかしそのためには？

星新一著
さまざまな迷路

迷路のように入り組んだ人間生活のさまざまな世界を32のチャンネルに写し出し、文明社会を痛撃する傑作ショート・ショート。

星新一著
かぼちゃの馬車

めまぐるしく移り変る現代社会の裏の裏のからくりを、寓話の世界に仮託して、鋭い風刺と溢れるユーモアで描くショートショート。

星新一著
できそこない博物館
未公開だった創作メモ155編を公開し発想の苦悩や小説作法を明かす。神様の頭の中が垣間見られる、とっておきのエッセイ集。

星新一著
ノックの音が
サスペンスからコメディーまで、「ノックの音」から始まる様々な事件。意外性あふれるアイデアで描くショートショート15編を収録。

星新一著
夜のかくれんぼ
信じられないほど、異常な事が次から次へと起こるこの世の中。ひと足さきに奇妙な体験をしてみませんか。ショートショート28編。

星新一著
おみそれ社会
二号は一見本妻風、模範警官がギャング……。ひと皮むくと、なにがでてくるかわからない複雑な現代社会を鋭く描く表題作など全11編。

星新一著
たくさんのタブー
幽霊にささやかれ自分が自分でなくなってあの世とこの世がつながった。日常生活の背後にひそむ異次元に誘うショートショート20編。

星新一著
つねならぬ話
天地の創造、人類の創世など語りつがれてきた物語が奇抜な着想で生まれ変わる！　幻想的で奇妙な味わいの52編のワンダーランド。

つぎはぎプラネット

新潮文庫　ほ－4－53

平成二十五年九月一日発行
平成二十六年六月五日八刷

著者　星新一

発行者　佐藤隆信

発行所　株式会社新潮社

郵便番号　一六二―八七一一
東京都新宿区矢来町七一
電話　編集部(〇三)三二六六―五四四〇
　　　読者係(〇三)三二六六―五一一一
http://www.shinchosha.co.jp

価格はカバーに表示してあります。

乱丁・落丁本は、ご面倒ですが小社読者係宛ご送付ください。送料小社負担にてお取替えいたします。

印刷・株式会社光邦　製本・株式会社植木製本所

ISBN978-4-10-109853-1 C0193